最強のライフキャリア論。

人生まるごと楽しむための思考法

キャリアコンサルタント
岩橋ひかり
Hikari Iwahashi

時事通信社

はじめに

「女性がライフステージの変化に柔軟に、才能を活かしながら幸せに生きていける社会にしたい」

これは私が常に大切にしている思いであり、私にとって人生の指針、ライフキャリアの軸ともいえる言葉です。

思い返せば、初めての育休を経て職場復帰し、2年ほどがたった頃。私はこれからの働き方・生き方に悩み、葛藤していました。

故郷から上京して東京の大学へ進学し、卒業後は大手企業に就職。結婚して子どもに恵まれ、十分すぎるほどに幸せな人生を送っているはずなのに、心はちっとも晴れやかではありませんでした。

ワーキングマザー当事者としての大変さを痛感しながら、人事部門にいたことで知り得てしまった男性管理職・経営層の本音と建前。

時短勤務で常に劣等感に苛まれながら、育児も家事も中途半端。

「このまま今の仕事を続けていいのだろうか」という漠然とした不安を抱えながら、でも職場では誰にも相談できない。

お昼休みになると一人でカフェに駆け込んでは心に抱える葛藤をノートに書き殴ることで、ストレスを解消してやり過ごす。

そんな悶々とした日々を過ごしていたのです。

私がキャリアコンサルタントの資格を取得したのはこの頃のことでした。未経験の人事業務への劣等感を埋め合わせるため、そして漠然とした不安を少しでも払拭するために、まるで現実逃避するかのように勉強していました。

やがて二度目の育休がスタートします。

それまでの葛藤や、キャリアコンサルタントの資格取得を通じて学んだ知識などをブログで発信し始めると、私と同じような悩みを抱えた女性たちがたくさんいることを知りました。そのことに勇気づけられた私は一念発起して起業します。

そして、冒頭に書いたライフキャリア軸、つまりマイコンパスを定めたことが強力なエンジンとなり、現在では、女性が自分らしいキャリアを歩んでいくためのキャリア支援を行っています（マイコンパスについては本文中で詳しく説明します）。


なぜ、私たちは漠然とした不安を感じてしまうのでしょうか。

そこには三つの理由があると考えています。


今、私たちが生きている時代はすさまじいスピードで変化しています。

また、私たちは人生のなかでさまざまな「役割」を担い、それらはライフイベントの発生によって変化していきます。

さらに私たちは、これまでに受けてきた教育や両親の影響などによってもたらされた「こうあるべきだ」という姿に無意識のうちにとらわれてしまい、「本来の自分らしさ」を見失いがちです。

これらの要因により、常に「自分」に対して違和感を覚え、本当の自分の気持ちを無視したり騙したりしながら過ごしてしまっている。そして、本来の自分らしさを発揮できていないがゆえに、自分のキャリアに対して漠然とした不安や物足りなさを感じてしまっているのです。

私は、「キャリア」とは仕事だけではなく、「人生そのもの」だと考えています。その思いを込めて、本書のタイトルでは「ライフキャリア」と表現していますが、結婚や出産などのライフイベントを経ても（あるいは経なくても）、本来のその人らしさを活かしたライフキャリアは必ず実現できます。

漠然とした不安や物足りなさを一度でも感じたことのある方々に向けて、本来の自分らしさを取り戻し、その人にとって最強のライフキャリアを手に入れるための、生涯を通して活用できる思考法をお伝えしたい。そんな思いから、私はこの本を書くことを決めました。もし、あなたが少しでも不安や悩みを抱えているのであれば、ぜひ、この本を読み進めてほしく思います。

では、漠然とした不安を手放し、自分の人生をより良い方向へ導いていくためには何が必要なのでしょうか。

私が、これまで2000名以上の女性たちのキャリア支援に関わってきたなかで確信していることが二つあります。

1. 本来の自分を取り戻すためには「正しい手順」がある
2. 自分を知るために他者を活用する

自分らしさや自分のやりたいことを見つけようとしても、堂々めぐりを繰り返してしまったり、余計にモヤモヤしてしまったり。こんな経験をしたことがある方は多いかと思います。それはもしかしたら、「正しい手順」に沿って考えていないからかもしれません。本書では、本来の自分を取り戻すための考え方を、「正しい手順」に沿って一つずつお伝えします。

また、一人でノートに思いを書き綴ったりすることで自己理解を深めていくことはとても大切ですが、継続できなかったり、挫折してしまったりして、実際にはとても大変だと思います。そもそも、自分一人の力で完全な自己理解を深めることが可能かといわれれば、どうでしょうか。一方で、他者のことは客観的に把握しやすいものです。ほかの人の発言や行動を見て、自分がどう感じるか？　そこには思いがけない「自分らしさ」のヒントが眠っています。

本書では、二人の女性がキャリアコンサルタントと出会い、さまざまな対話やワークを通じて、本来の自分を取り戻していくというストーリー形式でお届けしています。読み進めていくなかで、登場人物の考え方に共感するのか、違うと感じるのか。その言動一つひとつに自分の考えを重ね合わせることで、より自分らしさへの理解を深めることができるように構成しています。この場面で自分だったらどう考えるだろう？ということを意識しながら、ぜひ最後まで楽しんでいただければ幸いです。

さあ、あなたも、最強のライフキャリアを手に入れましょう！

最強のライフキャリア論。——人生まるごと楽しむための思考法／もくじ

本書の登場人物

望月美咲 (もちづきみさき)

34歳。神奈川県出身、東京都在住。

大学卒業後、大手物流会社に入社。人事部門に配属され丸の内のオフィスに勤務。一つ年上の夫は大手メーカーの設計部門で係長を務めている。1歳半の息子が一人。育休から復帰して半年たつが、仕事と家庭の両立で手一杯の状態。同じように育休を取得し、時短勤務で復帰する女性の同僚たちもいるが、会社全体で見ると少数派ということもあり、常に肩身の狭さを感じている。本心では二人目の子どもが欲しいと思うものの、そんなことを考える余裕もない日々を過ごしている。

藤井愛 (ふじいあい)

29歳。福井県出身、東京都在住。

大学卒業後、大手自動車メーカーに入社し、地方事業所に配属される。本人希望で東京本社のマーケティング部門に異動となる。夫は大学のゼミの同期で、現在は都庁に勤める公務員。結婚して2年目、そろそろ子どもが欲しいと考えている。ほかの部署の同期たちより昇格が遅れていて仕事が停滞気味だと感じている。また、育休から復帰した先輩女性社員たちがいつも慌ただしく大変そうにしている様子を見て、自分は将来同じようにはなりたくないと感じている。そもそも、今の仕事が本当に自分が望んでいた仕事だったのか、疑問を感じ始めている。

永田陽子 (ながたようこ)

39歳。福岡県出身、東京都在住。

自らが会社員時代に、出産後の働き方や生き方について深く悩み、その解決方法を探り続けた経験を持つ。第二子出産後に独立。現在はキャリアコンサルタントとして、多くの女性たちの悩みを解消すべく、女性の転機をより良い方向に誘導するためのコンサルティングやセミナー、講演会などの活動を行っている。夫、9歳の息子と5歳の娘の四人家族。

第1章

自分らしさを取り戻す正しい手順

Life Career

ノートに思いを綴る日々

東京、丸の内――。

立ち並ぶオフィスビルの麓の歩道は、昼休みに入った会社員たちで賑わっている。

まだ陽射しは強く気温は高いが、空の高さはすでに秋を予感させていた。

そんな街の一角に、やはり昼休みの会社員たちで賑わうカフェがある。

店内の中央あたりに大きな楕円形のテーブルがあり、アイスカフェラテを飲みながら一心不乱にノートに文字を書き込んでいる女性がいた。

望月美咲。

ショートボブの黒髪が、うつむく横顔を覆っている。

――悔しい。昨日、私の担当業務に関する会議が帰り際に急遽設定されて、時短の私は出席できるはずもなく帰宅。今日会社に来てみたら、私が提案した内容とは結論がまったく変わっててショック。しかもその経過について誰も何も話してくれなくて。つまりあの会社では私の存在などまったくあてにされていない。自分なりに責任を持ってやってきたつもりだったのに……。

美咲は自分が希望したとおり、子どもが1歳になるまで育休を取ることができて、時短で働かせてくれる今の会社には本当に感謝しているし、恵まれた環境にいることを自覚している。でも、今の仕事が本当に楽しいかというと、そうでもない、という気持ちをもてあましていた。

つい先日、フリーランスの友人が「収入は減ったけど楽しいの！」と言っていた笑顔を思い出す。しかし、その友人は美咲に向かって言った。
「結婚して子どもにも恵まれて、育休も取れる。そんな職場で働くことができている美咲は勝ち組だよね」

そんなことないよ、と照れるように答えたが、それは本音だった。たしかに、世間一般から見れば恵まれているように見えるかもしれない。だが、当の美咲自身は、恵まれた境遇にあることを自覚しつつも、いつもどこか満たされず、幸せを感じられずにいた。

それで、こうして会社の昼休みになると、オフィスから逃げるように一人でカフェに来ては、ノートに気持ちをぶつけるのが美咲の日課になっていた。店内のざわつきが一切自分に無関係であることも心地よかった。

――私、何やってるんだろう。

不意に、涙でノートの文字が霞んできた。悔しさや怒りの果てにさまざまな思いが同時に押し寄せてきて、そんな自分の感情さえもコントロールできない自分がひどく惨めに思えてきたのだ。

ペンが止まると、涙を堪えて視線をノートに落としたまま、ノートを押さえていた左手でグラスを探り取ってストローを口にくわえた。

すると同時に、「あっ！」という声が耳に飛び込んできたため、美咲は驚いてゴクリと飲み込んだ。

思わず顔を上げると、黒髪のボブの同じ世代ほどの女性が、大きな目をさらに大きく見開いて、美咲が手にしたグラスを指差していた。

「それ、私の……」

「えぇっ!!」

そう、今飲んだのは、隣の席の女性の飲み物だったのだ。思えば、すでに自分の分は飲み干していた。ノートに書くことに夢中になりすぎて、隣の席に人が座ったことにさえ気づいていなかった。

「あっ、ごめんなさい!」

美咲は慌てて立ち上がり、頭を下げた。

「すぐに新しいのを買ってきます!」

美咲はノートを閉じると急いでカウンターに向かった。

——ほんと何やってるんだろう、私……。

新しいアイスカフェラテとドーナツを買ってテーブルに戻ると、それらを隣の女性の前に置いた。

「本当にすみませんでした。ドーナツはお詫びで……」

「あら、私のはアイスコーヒーだったの。カフェラテになって得しちゃった。それにドーナツまで、ありがとうございます」

なんと飲み物も思い込みで間違えてしまった。つくづく自分のそそっかしさが嫌になる。

その女性はアイスカフェラテを一口飲むと、笑って言った。

「仕事で嫌なことがあったんですね」

「え？　あの、このノート見たんですか？」

美咲は恥ずかしそうに小声で尋ねた。

「いいえ、まさか。さっきから口に出して呟いてらしたから。聞こえちゃいました」

あっ、と美咲は口を押さえた。書きながら独り言を呟いていたらしい。

「恥ずかしい……」

「あ、ぜんぜん。気にしないでください。私にも同じような頃があったから」

大変ですよね、とその女性はほほえんだ。そして鞄から名刺を取り出して差し出した。

「私、キャリアコンサルタントの永田陽子と申します。カフェラテとドーナツのお礼といったらおかしいですけど、これも何かのご縁なので、よかったら今度、私のオフィスに遊びに来ませんか？」

陽子の笑顔と凛とした瞳を見て、美咲は思わず頷いていた。

今の仕事は楽しいのかしら?

藤井愛は新幹線の窓から外の風景をぼんやりと眺めていた。

新大阪まではまだ2時間以上もある。小ぶりなピアスの飾りが、列車に合わせてわずかに揺れている。

いつもの愛なら、このような出張の移動時間を無駄にするまいとノートパソコンを開いて仕事をする。それで「のぞみ」に乗車するときは、いつも電源がつながる窓側の指定席を利用している。

しかし、このところあまり仕事に熱中できずにいた。20代最後の年だからだろうか。

愛は大手自動車メーカーに入社し地方事業所に配属されたのだが、東京本社への異動願いを出し続け、数年たってようやく念願の本社のマーケティング部門に配属となった。

自ら望んでマーケティング部に異動したわけだが、忙しいばかりでほかの部署の同期より昇格も遅れている。

大学時代の同級生と結婚して2年目。そろそろ子どもも欲しいと思うけれど、職場のワーキングマザーの先輩たちが仕事と家庭の両立に必死な姿を見ると、ついためらってしまう。

そもそも自分から望んで飛び込んだマーケティングの世界に、私は本当にやりがいを感じているのだろうか？

そんな愛の気持ちとは裏腹に、隣の席に座るボブの女性は、ときおり「よし」「いい感じ」などと呟きながら、先ほどから楽しそうにパソコンに向かって作業している。

その姿を横目で見ていると、女性のスマートフォンが鳴った。

「はい、あ、ちょっとお待ちください」

そう言うと女性は急いで席を立ち、離れていった。デッキに向かったのだろう。

何気なくパソコンの画面を見ると、「転機はチャンス！」「女性の転機とは何か」「転機の乗り越え方」などの文字が並んでいる。

思わず食い入るように見ている自分に気づき、慌てて姿勢を戻した。

すると、ぎりぎりのタイミングで女性が戻ってきた。

――覗いてたの、見られたかな？

愛は一人で気まずくなり、スケジュール表を取り出して、予定を確認するふりをした。

しばらくすると、隣の女性が控えめに声を上げた。

「うっそ……」

思わずその女性の顔を見ると、目が合ってしまった。

「あ、声出してごめんなさい」

「どうされました？」

「パソコンの充電がなくなりそうで。あと少しで完成だというのに」

それは大変、と心で呟きながら、愛は提案した。

「こちらの席だと電源が取れるので、よければ席を替わりましょうか？　私は通路側でも構いませんので」

「えっ、ほんとですか？　助かりますっ！」

それではお言葉に甘えて、とその女性はパソコンと鞄を持って、いったん通路側に出た。愛は荷物をすべて荷物棚に載せていたので、自分も身軽に通路にいったん出ると、女性に窓側の席に座るように促した。

「本当にありがとうございます」

笑顔でお礼を述べると、その女性は手早くパソコンにつないだ電源ケーブルをコンセントに差し、「お、復活」と呟くと軽快に作業を再開した。

10分ほどたっただろうか。その女性が愛に向かって、「おかげさまで仕上がりました！　本当に助かりました」とお辞儀した。

「それはよかったです。お疲れ様でした」

「ありがとうございます。好きでやっている仕事なのでちっとも疲れないんですけどね」

え？　その笑顔が、愛にはまぶしく感じられた。

「今日はお仕事ですか？」

その女性は気さくに尋ねてきた。

「はい。今度大阪の展示会に参加するので、その打ち合わせと下見に行くところなんです」

愛は簡潔に答えた。

「なんか、バリバリ働いてるって感じでカッコいいですね」

「いえ、そんなかっこいい仕事じゃないんです。最近はちょっとマンネリ気味で」

愛は自分の言葉に自分の本音を垣間見てしまったようで、どきっとした。それで慌てて質問する。

「ところで、どのようなお仕事をされているんですか？　じつはさっき、パソコンの画面に『転機はチャンス！』と書かれているのを見てしまって……すみません、ちょっと気になったので」

「あら、そうだったんですね。私はキャリア支援の仕事をしていて、大阪でのセミナー資料をつくっていたんです。失礼ですが、もしかして何かお悩みではないですか？」

「え？」

「何か、今のお仕事をあまり楽しまれていないように感じたので」

「ええ、じつは、このままでいいのかなぁ、と思っていて……」

たまたま列車で隣り合わせになっただけの希薄な関係が、却って愛を素直にさせた。

するとその女性は名刺を差し出した。

「それはもしかしたら、お仕事でご自分らしさを活かし切れていないのかもしれませんね。私、こういう者です。今日はおかげさまで作業が完結できました。そのお礼というのも変かもしれませんが、今度、私のオフィスに来てみませんか？」

＊＊＊

ＪＲ山手線と東京メトロが乗り入れる恵比寿駅から西に向かって坂を上ったところに陽子のオフィスはあった。ほんの数分歩いただけで、駅前の喧噪を逃れる静かな場所だった。この日は土曜日であるため、さらに静かだ。

マンションの一室を利用したそのオフィスには、すでに美咲と愛の姿があった。美咲は1歳半になる子どもを連れてきており、スタッフの女性が面倒を見てくれている。

「素敵なオフィスですね」

いつのまにか寝てしまった我が子を見て、美咲はほっとした表情で話した。

「ありがとうございます。安心して話せる空間にしたくて、シンプルなインテリアにしているんです」

それでは、と座ったままの陽子が自己紹介を始めた。

「お二人に会うのはこれで二度目になりますが、改めて。私、永田陽子と申します。この会社の代表で、キャリアコンサルタントです。小学3年生と5歳の子どもがいて、39歳です」

美咲と愛は、陽子が年齢よりも若く見えて、いきいきとしていることにわずかな憧れを抱いた。

「それでは、美咲さんから自己紹介をお願いできますか？」

陽子は美咲に向けて手を添えて促した。

「はじめまして、望月美咲です。34歳です。夫と1歳半の息子がいます。今日は預け先がなくて息子と一緒に来たので、ぐずってしまったらすみません。仕事は物流会社の人事部で、主に採用を担当しています。お酒を飲むことが好きで、ほかにも野外フェスやキャンプ、スノボ、テニスといろいろやっていたのですが、最近は全然できていなくて。少しストレスが溜まり気味です」

愛と陽子が笑った。

「それでは愛さん、どうぞ」

「はい。藤井愛と申します。自動車メーカーのマーケティング部門で働いています。結婚して2年目で、夫婦二人暮らしです。趣味はヨガで、食べることも好きなので、太らないように気をつけています。あ、年は29歳です」

ここで、陽子が二人と出会ったきっかけを手短に話した。

「――というこどで、お二人にお会いしたのも何かのご縁ですし、偶然の出会いを大事にできたらと思います。早速ですが、お二人ともお仕事で悩んでいることがあるようですね」

漠然とした不安の正体

陽子に促され、美咲が先に話し始めた。

「私は育休も取れたし、時短で仕事も続けられているし、一般的に見たら恵まれているなとは思うんです。でも、会社でも家でもいつも慌ただしくって、ゆっくりお手洗いに行っている暇もないくらい。自分なりにがんばってはいるのですが、会社ではいつもどこか肩身が狭いような感じがあって……。この間なんか私が帰ったあとの会議で、主担当業務の重要事項が勝手に決まってしまっていて。これまで調整を進めてきた内容とはまったく違う結論になってたんです。しかも、その結論に至った経緯を誰かが説明してくれるような雰囲気もなくて、正直、かなりショックでした。ああ、私って会社では必要とされていないんだなと思って、急に悲しくなりました」

美咲が日頃から抱えていた思いを口にすると、愛も続いた。

「それわかります！　担当業務なのに思うように進められないのはストレスですよね。私の場合、仕事のほとんどは上司のアシスタント的な感じで、重要な仕事はほとんどやらせてもらえなくて物足りなく感じています。このまま30代を迎えるのかと思うとちょっと焦るというか。このままでいいのかなって」

二人の話に頷きながら陽子が話し始めた。

「なるほど。お二人とも、現状にはそこそこ満足していて、大きな不満があるわけではない。でも、小さな不安や悩みがたくさんあって、晴れやかな気持ちになれずにモヤモヤしている。『漠然とした不安』が常にあるような感じ、でしょうか？」

「そうです、まさにそんな感じです」と愛が言うと、美咲も頷いた。

「じゃあ、『漠然とした不安』の正体って何だと思いますか？」

陽子の突然の質問に、美咲と愛は首をかしげる。

「ええと……」

「私は三つあると考えていて、一つ目は**『役割の変化』**、二つ目は**『時代の変化』**。そして三つ目が**『思い込み』**」

「三つも？」

「そう。でも不安の正体がわかれば、解決策もわかってくる。だから大丈夫よ」

陽子は二人を安心させるようにほほえんだ。

「では、まずは一つ目の『役割の変化』からお話ししましょう。美咲さんも愛さんも、今の自分がどんな役割を担っていると思いますか?」

そう言うと陽子は部屋の照明を消し、プロジェクターで壁に資料を映した。

【人生のなかで担う六つの主な役割】

①**職業人**……仕事をする、働くという役割

②**パートナー**……妻や夫として、また結婚の有無にかかわらずパートナーとしての役割がある

③**娘や息子**……親に対しての役割。兄弟姉妹がいる場合はその役割もある

④**母親や父親**……子どもを持つことで増える役割。子どもの年齢や、協力体制によって役割の重みは多少変わるが、どんな人にとっても大きな役割だといえる

⑤**学生**……小・中学校の義務教育や高校・大学だけでなく、人生100年時代といわれる今、一生の間に何度でもやってくる可能性がある

⑥**市民**……仕事以外の領域での社会との関わり。地域活動やPTA活動、趣味の活動、NPOとの関わりもこの役割に入る

「すごい、こんなに役割があるなんて考えてもみなかったです」

美咲が驚いたように呟いた。

「ええ。私たちは人生のなかで、仕事に限らず、さまざまな役割を担っているんですよね。ここで大切なのは、担う役割は**時間や環境の変化とともに変わる**ということと、**常に複数の役割を担っている**ということ。複数あることで、どの役割において自分の迷いや悩みが生じているのか混乱しやすいの。だから、自分が今、どんな役割を担っているのかを整理、認識しておく必要があるというわけね。それぞれ、自分の役割を認識できたかしら？」

「えっと、私の場合は、会社での『職業人』としての役割、『妻』としての役割、『娘』としての役割に、あとは『母親』としての役割もあるということですね」

「そう、美咲さんの場合は1年半前にお子さんを産んだことで、『母親』の役割が増えた。そして役割が増えたということは、美咲さんに『転機』が訪れたということでもあるの」

「転機ですか？」

「アメリカのキャリア発達理論の研究者であるナンシー・K・シュロスバーグ博士の

定義によると、**①役割、②人間関係、③ライフスタイル、④考え方、の四つのうち一つ以上が変わることが『転機』**だといわれているの」

「へぇ、一つ以上で」

「美咲さん、どう？　子どもが産まれたことで母親の役割も増えたし、それ以外のことも変わったんじゃない？」

「たしかに……近所のママ友や保育園関係の人たちなど、子どもが産まれたことで地域の人とのつながりも増えました。子ども中心の生活になって、活動する時間も変わったし、過ごす場所も変わったように思います。あと、親になったことで考え方も大きく変わったなと自分でも思います。あ

転機とは

以下四つのうち、一つ以上が変わること

役割	**人間関係**
ライフスタイル	**考え方**

れ、私、四つ全部変わってますね」

「そう。だから子どもが産まれるというのは、すごく大きな転機なの」

＊＊＊

「次に『漠然とした不安』の正体、二つ目の『時代の変化』。今ってテクノロジーの進化も速く、時代がどんどん変化しているでしょう。だから10年後、いや5年後すら予測することは難しいし、長期的なキャリアプランを描きにくくもある。それに加えて、働く女性を取り巻く環境も大きく変化しているの」

転機の定義から「出産」を考えると……

「出産」ではこの四つがすべて変わる

役割 「母」になった	**人間関係** 子どもを通じた関係
ライフスタイル 生活時間・場所が変わる	**考え方** 優先度の変化

そう言って、陽子は次の資料を映した。

【働く女性をめぐる環境の変遷】

- **1986年**：男女雇用機会均等法が施行され、働く女性が急速に増加。その後、育児・介護休業法は1991年の制定以来、三度改正されている
- **2001年**：短時間勤務制度の対象が3歳未満まで延長される
- **2005年**：子どもが保育園に入れなかった場合などに育休が1歳6カ月まで延長できるようになる
- **2009年**：この年の改正では、男性の育休取得を促す「パパ・ママ育休プラス」が導入され、男性の育児参加を促す動きが今なお続いている
- **2016年**：女性活躍推進法の施行をきっかけに、女性管理職を増やす動きが広まるようになる

壁に映し出された資料を見ながら、美咲が小声で呟く。

「女性の働く環境って、短期間で激変しているんですね……」

「そうね。私が長男を出産したのは2010年。いつのまにそんなに時間がたっていたのかとびっくりするけど、この10年でもすごく変化したと思う。たとえば10年前なら、ママ友の間で『子どもを産んだら仕事は続ける？　辞める？』って真剣に話していたから。その頃が〈ワーママ1・0〉時代だとすると、今はもう〈ワーママ3・0〉って感じ。この先もどんどん進化していくでしょうね」

ワーママたちの悩みの変遷

[2010年頃まで] ワーママ 1.0	「妊娠、出産しても仕事を続けるか？」
[2013年頃〜] ワーママ 2.0	「どうすれば両立できる？」
[2018年頃〜] ワーママ 3.0	「自分らしい働き方・生き方とは？」

（ワーママ＝ワーキングマザーの略称）

常に転機の渦中にいる20〜40代女性

愛は驚いた。女性を取り巻く環境や考え方がこんなにも変化していたことに気がついていなかったからだ。

「愛さんは、お仕事は最近どうかしら?」

「えーと……今の仕事を始めた頃は楽しかったんですけど、いつのまにか物足りなくなってきていて。ほかの部署の同期たちは昇格もして面白そうな仕事をしているのに、私は変わらないままで」

「ってことは、昇格できれば面白くなりそうなの?」

「いいえ、そういうわけでもないんですよね。目指しているポジションがあるわけでもなければ、社内に憧れるような女性の先輩もいないし。そもそも、自分が何をしたくて今の会社にいるんだろうって」

「プライベートはどう?」

「こちらも変化がなくて、少し停滞気味です。来年は30歳になるし結婚して2年目なので、そろそろ子どもも欲しいとは思っています。でも正直、できていない今の状態に、焦りながらもほっとしているというか……」

「というと？」

「社内にもワーママの先輩たちはたくさんいるんですけど、なんだか楽しそうじゃないんですよね。いつも慌ただしそうに仕事してるし、時間になると走り去るように帰っていく姿を見てると、私にはあれはできないかなって思うんです。できないというか、ああはなりたくないなって」

「なるほど。仕事もプライベートも思うように進んでいないように感じる、というわけね」

ふむふむ、と頷いて一呼吸置くと、陽子は愛に語り始めた。

「愛さん。転機には、何かが起こらない転機というものがあるのよ」

「えっ？　転機って、何かが起きることじゃないんですか？」

愛が身を乗り出した。

「そう思いますよね。でもそれだけではないの。今の愛さんは、何かが起こらない転機、つまり『ノンイベント』の状態といえるわ」

「ノンイベント？」

「これも先ほど話したシュロスバーグ博士の『転機』の定義なんだけど、一つは、**ある出来事が起こる『イベント』**、そしてもう一つが、**予期したことが起こらない『ノンイベント』**。つまりこの『ノンイベント』こそが、『何かが起こらない』転機なの。出産や転勤、異動、引っ越しなど、何か出来事が起きたときはもちろんだけど、**『何かが起こらない』ことも転機に含まれる**のよ」

美咲と愛は今ひとつ腑に落ちないという表情でお互いの顔を見合わせた。

「ふふ。二人とも、ちょっと何を言っているのかわからないって顔してる」

「はい……たとえばどんなことが『ノンイベント』なんですか？」

「そうね。たとえば、夫が3年後に支社から本社に転勤になるといわれていたのに、その話が立ち消えになったときとか。引っ越す心の準備をしていたのに拍子抜けするわよね。ほかには、ある男性と28歳までには結婚する！って思っていたのに、結局していないとか。あるいは、二人目の子どもを3歳差で産むつもりだったのに、そうはなっていないとか」

「なるほど……そうなるはずだったのにならなかったこと、ですね」

美咲が納得すると、愛も腑に落ちたようだ。

「そうなると思っていたことが起きないと、考えや計画を見直す必要がありますよね」

愛の言葉に陽子が頷く。

「そうなの。ライフイベントが多い、特に**20~40代の女性は、常に転機の渦中にいる**といっても過言ではないし、だから悩みが尽きないのよ」

「では、私の場合なら?」

愛は理解しかけたつもりだったが、再び首をかしげた。

「愛さんの場合は、日常がマンネリ化しているように感じるのよね。たとえば、そろそろだと予想していた時期を過ぎても、昇格できていなかったり。結婚2年目くらいで子どもを授かるつもりだったのに、そうはなっていないとか。あとは、本当なら今頃は仕事にやりがいを持って充実した毎日を過ごしているはずだったのに、実際には目標を見失って充実感を得られていないと感じていることもそうかもね」

「そっか……なんだか、自分のモヤモヤしている理由がわかった気がします!」

愛がうれしそうに言うと、陽子もにっこりと笑った。

「そういえば、たしかもう一つありましたよね。正体の三つ目が」

「ええと、『思い込み』でしたっけ？」

美咲と愛が陽子に問いかけると、二人を安心させるように陽子は答えた。

「二人ともよく覚えていたわね。三つ目の『思い込み』については、少し時間をかけたいから次の機会に触れることにしましょう。いっぺんにお話しすると、聞いてるほうも疲れちゃうでしょ？」

column

ワーママたちの悩みの変遷〈ワーママ1・0〜3・0〉

美咲は育児と仕事の両立ができているにもかかわらず、悶々とした思いを抱き続けています。これに対して陽子は、〈ワーママ1・0〜3・0〉の変化について話をしました。

現在は、出産しても仕事を続ける女性が増え、第一子出産離職率は確実に減少傾向にあります。その結果、出産を機会に仕事を辞める女性よりも、仕事を続ける女性の割合が増えてきています。

ところが、出産後も仕事を続けようとして先輩ママたちの体験談を聞いても、あまり参考にならないことがあります。むしろ却って不安や違和感を覚えてしまうことすらあります。

なぜ、先輩ママたちの体験談が参考にならない場合があるのでしょうか。

それは、ワーママを取り巻く環境はどんどん変化しており、現在はすでに先輩ママたちが出産を体験した頃とは状況が大きく変わっているためです。

私自身は二度の育休を経て、二人の子どもを育てながら現在も働き続けています。2009年に一人目の子を妊娠して以来、気がつけば約10年間、ワーママ界隈をさまざまな角度からリサーチしてきました。

あるときは会社員ワーママの当事者として、またあるときは企業の人事部門でダイバーシティ推進担当・採用担当者として。社内のワーママコミュニティを主宰したこともありました。

そして独立してからも、キャリアコンサルタントとして悩めるワーママの相談を受ける側の立場から、あるいはキャリア支援を目的とした女性コミュニティを運営する立場からもワーママ界隈の様子を見てきたのです。

それは、急激な変化を体感するような体験でした。

〈ワーママ1・0〉——妊娠、出産しても仕事を続けるか？

私が第一子を出産したのは2010年です。この年、育児・介護休業法の改正で、（従業員101人以上の事業所では）短時間勤務制度が義務化されました。具体的には、3歳未満の子を持つ従業員に対する短時間勤務制度・所定外労働時間の免除の義務化、そして育児参加・育児との両立のために「パパ・ママ育休プラス」制度の運用（父母ともに育児休業を取得する場合の休業可能期間の延長）です。

また、復帰後も働き続けやすい制度が整備されて、働き続ける女性が増え始めました。

しかし、ママたちの会話のテーマは依然として、「出産しても仕事を続けるかどうか？」が中心でした。また、復帰後の情報もまだ多くは流通しておらず、子どもと仕事のどちらを大切にしたほうがいいのか？という葛藤を抱えながら、両立の道を探る時代だったのです。

〈ワーママ2・0〉――どうすれば両立できる？

それでも短時間勤務制度などの、復帰後も働き続けやすい制度が整備されるようになり、出産後も働き続けることが徐々に一般化してきます。

すると今度は、働き続けることを前提とした、時短や両立のノウハウが多く必要とされるようになりました。

たとえば、子どもが病気になったときの預け先を確保する方法や、時短勤務者としての社内での立ち回り方、残業が日常的な職場環境での仕事の進め方。さらには出勤前に夕食の準備を済ませる方法やつくり置き術といった家事の時短テクニック、夫を家事や育児に巻き込む方法など。出産後も働き続けるためのこうしたさまざまな情報が流通するようになったのがこの頃です。

私が第二子を出産したのは2014年ですが、もはやその頃には「子どもか仕事か」と悩む人は減り、両立させることを前提とした情報収集がワーママの間では盛んになっていました。

〈ワーママ3・0〉――自分らしい働き方・生き方とは？

このように仕事と育児を両立させながら働くワーママは増え、子どもが産まれても共働きをする世帯の数が、専業主婦世帯を超えています。※
ところが、朝早くから食事の支度や子どもの送り迎えに奔走し、時短勤務内でバタバタと仕事をして風を切るように帰宅し、夕飯の支度と子どもの世話とで疲労困憊の毎日を続けることに、「本当にこれでいいの？」と思うワーママが徐々に増え始めます。
また、自分らしい働き方や生き方を考える世間の風潮も相まって、育児と仕事の両立をテクニカルな面からだけでなく、「より自分らしい働き方、自分らしい生き方」という側面からも追求するようになってきました。

私たちのようなドタバタ両立世代を間近で見てきた次の世代の女性たちが、結婚・出産のライフイベントに直面することで、また次のフェーズに進んでいくことでしょう。

このように、ワーママをめぐる環境、そしてワーママたちの悩みは、時代とともにどんどん変化しているのです。

※内閣府・男女共同参画白書 令和元年版「共働き等世帯数の推移」より

転機はチャンス！

恵比寿駅の近くにあるカフェダイニング。

美咲と愛は駅で待ち合わせをして、陽子に指定されたこの店に来ていた。店員に陽子の名を告げると、すでに予約されていた窓際の席に案内された。週末の昼間とあって店内は満席だ。

美咲と愛が席に着いてお互いの近況を話し始めると、すぐに陽子も到着した。

「ごめんなさい。待たせちゃったかしら？」

「いえ、私たちも今来たばかりです。素敵なお店ですね」

よかった、と言うと陽子も席に着いた。

「美咲さん、お子さんは？」

「今日は夫に預けてきました」

「それはよかった。旦那さんに預けて出かけるのは初めてでしたよね。反応どうでした？」

「最初はとまどっていたのですが、子どもと二人きりの時間も楽しみだとか言い出して。絶対に断られると思っていたんですけど……」

美咲は恥ずかしそうにほほえんだ。

「ここのね、アボカドチーズバーガーがお勧めなの」

陽子はメニューを広げて指差した。

美咲と愛も「それ、おいしそうですね」ということで、店員に注文した。

＊　＊　＊

「美咲さん、たまには大人だけの食事もいいでしょ？」

陽子はそう言って美咲の顔を覗き込んだ。

「はい！　仕事以外で一人で外に出るのは、出産以来、今日が初めてです。とても身軽で新鮮です」

美咲はとびっきりの笑顔で開放感を表現してみせた。

「愛さんは相変わらずイベントとかで各地を飛び回っているのかしら？」

「はい、忙しさは変わりません。っていうか、上司に振り回されてばかりで、仕事自体は面白くないんですけど。あ、すみません、いきなり愚痴ってしまって」

すみません、と愛は頭を下げた。

「謝る必要なんかないわ。私たちの間では、本音で話してもらって大丈夫だから」

「そういえば前回オフィスでお会いしたときに、陽子さんのお仕事についてお聞きするのをすっかり忘れていました。どんなことをされているのですか？」

美咲が尋ねる。

「そういえばそうだったわね。私の仕事はキャリアコンサルタント、と言ってもちょっとわかりにくいかな。一般的には、就職や転職を支援する仕事だと思われているけれど、それだけじゃないの。女性向けのオンラインキャリア講座を主宰したり、セミナーやイベントを開催することもあるし、講演に呼んでいただくこともある。それからラジオ番組でパーソナリティをやってたこともあるし、企業のマーケティングをお手伝いすることもある。まあ、ほんとにいろいろやってるわね」

陽子は朗らかに笑いながら、仕事にかける思いを語った。

「仕事に限らず、その人がその人らしく、自分らしい人生を歩めるようにという思いでいろんなことをしてるわ。つまり、『どうせ私なんて』と思っている女性を『私にもできる！』という気持ちに変えて、本来の力を目覚めさせるのが仕事、ってとこかな」

「それってまさに私のことですね。いつも私なんて大したことない、私にはどうせできない、と思ってしまうんです」

美咲が自信なさげな表情で呟く。

「あら、そうなのね。美咲さんも愛さんも、今は自分のことがちょっと見えにくくなっているだけで、とても魅力的な個性をお持ちだと思うわ。さ、食べて食べて」

美咲と愛、そして陽子の三人は食後のコーヒーを飲みながら話を続けていた。

「でも陽子さんって、二人のお子さんを育てながら仕事もして、キャリアコンサルタントの資格も取得して、よく会社まで立ち上げましたよね。すごいと思います。私なんて子どもが一人いるだけで……」

何もできていない、と美咲は唇を尖らせた。

「あら、これからじゃない。私だって今のような働き方に変えたのは、子どもが産まれてからよ。私も二人と同じように、このままでいいのかとずっと悩んでいたの。美咲さんみたいに、お昼休みにノートに憤りを書き殴っていた頃があったわ。そのときに、女性のキャリア支援を仕事にしたいなと思うようになったの」

「そうだったんですか。陽子さんにもそんな時期があったなんて、なんか想像できません。今の私は仕事と子育てに追われてばかりで、自分のことを考える時間もなければ、気力もなくって」

「大丈夫よ。転機に直面したときがチャンスだから」

陽子はコーヒーを一口飲むと続けた。

「忙しい日常に流されていると、自分のことなんてなかなか真剣に考えられないでしょう。でも**『転機』は立ち止まって考えることができるいい機会**。偶然とはいえ、私と出会ってしまったことだし、これから一緒に考えてみない？」

でも、と美咲が話す。

「今の私にできるかちょっと不安です。陽子さんにもご迷惑かけてしまいそうで」

「心配しないで。私もそうだったから。私なんて、かなり迷走してきたと思うわ。でもね、キャリアについて学んだり、たくさんの女性たちに関わってきたなかで、悶々と悩むんじゃなくて、正しい手順に沿って考えればいいんだなって気づいたの」

「正しい手順、ですか？」

美咲が尋ねた。

「そう、正しい手順。常にキャリアに向き合ってる必要はないけれど、時代も役割も変化していくものだから、節目節目で見直す必要があるわ」

「でも、先ほどのお話によると、私はすでに転機の渦中にいるんですよね。今からでも間に合うんですか？」

愛がコーヒーカップをいじりながら質問した。

「もちろんよ。すでに転機に直面していても、この転機を活かすぞって決めて転機に向き合えば遅くなんかないわ。それに転機は何度もやってくるしね。自分の人生のハンドルを取り戻すぞって」

陽子はハンドルを操作するジェスチャーをしてみせた。

美咲はその姿を見て笑いながら尋ねる。

「その正しい手順というのは、具体的にはどんなものなのですか？」

「そうね。これも何かの縁だし、特別レッスン受けてみる？」

「ぜひお願いします！」

愛が即答した。美咲も慌てて「私もやってみたいです」と答えた。

「では場所を変えましょう。あまりお店のテーブルを占領していたら悪いから」

三人は陽子のオフィスに歩いて移動することにした。

＊＊＊

オフィスに着くと、三人は打ち合わせ用の丸テーブルに座った。

「早速レッスンに入りましょう。まずは、ゴールを確認することから始めていくわね。レッスンのゴールは、自分らしいキャリアを自走できるようになること。もっと砕いて言えば、自分で自分の人生の舵を取り、自分の足で進んでいけるようになること。このゴールに向けて、**『思い込みを取り払う』『理想のキャリアを描く』『行動する』**の三つのステップで進めていきます」

美咲も愛も、不安げな表情をする。

「そんなに不安がらなくても大丈夫よ、順を追ってじっくり進めていくから。ところで今の時代って、自分のやりたいことがわからないと悩む人がすごく多いと思うんだけど、美咲さんと愛さんはどう？」

「それ、まさに私の悩みです。自分のやりたいことがわからないんです」

愛が言うと、美咲も頷いた。

「よくわかるわ。まさに、かつての私自身もそうだったから。自分なりには、自分のやりたいことをこれまで何度も考えてきた。いろんな本を読んだり、セミナーに参加したりして、自分のやりたいことを見つけるための行動だって結構してきたわ。もしかしたら私のやりたいことはこれかなって思える瞬間が何度かあったけど、少し時間がたつと、やっぱり違うかなと後戻りすることも多くて。そのたびに自己嫌悪に陥ってしまってね」

「あるある、あります。私もそんな感じです。自分がすごく嫌になる」

美咲が同意した。

「自分のやりたいことを見つけるためには、どうしたらいいんですか？」

愛が質問した。

「いい質問ね。じつはね、自分のやりたいことや理想の姿は、いきなり描こうとしてはダメなのよ」

自分の本当の気持ちはどこにある？

「えっ、そうなんですか？」

愛は意外だという表情をした。

「ええ。それを先にしてしまうと、自分がやりたいことはずっとわからないままだし、迷いのスパイラルから抜け出すことができなくなる。それでさっきも言ったように、『正しい手順』がポイントになるの。まずは、最初のステップ**『思い込みを取り払う』**ね」

そう言うと、陽子は壁際に置かれたホワイトボードに円を描き、そのなかに「本当の気持ち」と書き入れた。

「私たちは気づかないうちに、親や親戚、友人、学校の先生、先輩、会社の上司など、周りにいる人たちからいろいろな『常識』や『良識』を刷り込まれてきてるのよね。その結果、いつのまにか自分自身も『こうでなければならない』と思い込んで、こうであってほしい、という周りの人の思いに応えようともしてしまう。そのうち、自分はこんな人間なんだ、という思い込みができあがってくるの。そしてこの『思い込み』こそが、前回お話しした『漠然とした不安』の三つ目の正体」

陽子は円の上にいくつかの弧を描き、「幾重にも重なる思い込み」と書き入れた。

つまりね、と陽子は結論を話し始めた。

「自分が決めたキャリアが叶わなかったり、なりたい自分になれないのは、自分の本当の気持ちがわからなくなっていることが原因なの。**気づかないうちに、自分の本当の気持ちが、自分以外の誰かの『こうあるべきだ』『こうあってほしい』という思いや社会的な常識や価値観に覆われてしまっている**のよ」

会社員だから通勤ラッシュくらい我慢すべきだ、母親だから子ども中心の生活をすべきだ、時短で働かせてもらっているのだから周りに気を使わなければならない――。

陽子は例を挙げ続けた。

「そして大学まで出たのだからそれなりの企業に就職すべきだ、とかね。そうやって、いつのまにか自分の本当の気持ちが見えなくなっている。これが自分の本当の気持ちであれば問題ないのだけど、もし違うなら、覆い被さっている思い込みを取り払っていく必要があるわ」

「たしかに、大学を出て、そこそこ大きくて名の通った会社に就職して、結婚して子どもを産んで……と自分が描いた理想のとおりに来ているはずなのに。どこかしっくりしないのは、それが自分の本当の気持ちとは別だからなのかもしれない」

美咲が悩ましい表情をする。

「私も同じかもしれないな……」

愛も頬杖をついた。

「でしょ？　きっとこれまで自分の気持ちに蓋をしすぎてきたせいで、自分の本当の気持ちがわからなくなっているのね。自分のやりたいことや理想の姿を、つい社会的な常識や良識に沿って考えてしまう癖がついているのかもしれ

自分の本当の気持ちとは

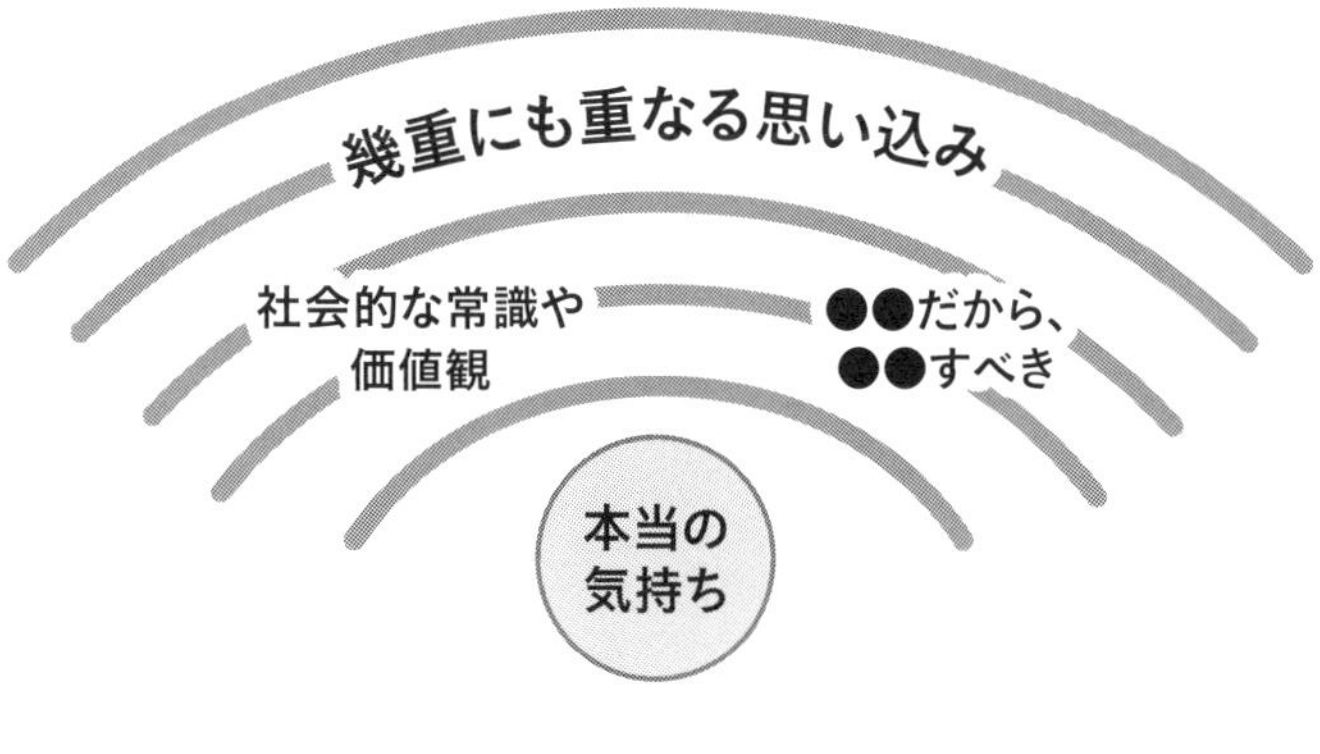

ない。だからわくわくしないし、楽しくないし、違和感や不安を覚えるようになるのよ」

　黙り込む二人に、陽子は話を続けた。

「とはいえ、いきなり自分の本当の気持ちに気づくのは難しいから、一手間かけてみるの」

「……どういうことですか？」

　美咲も愛も不思議そうな顔をしている。

「普段、自分が感じていることを言葉にしていったん書き出してみて、それを客観視してみるの。本当の自分の気持ちを覆ってしまっている、幾重にも重なる思い込みや社会的な常識に気づいて、それを一つひとつ丁寧に取り払い、自分の本当の気持ちにたどり着くようなイメージね。それでは、早速ワークをしてみましょう」

ワーク①

〈嫌なことを100個書き出してみよう〉

ワークは、読者のみなさんも参加してみてください。

最初のワークは、〈嫌なことを100個書き出してみよう〉です。

読者のみなさんは、普段から「嫌だなぁ」と思っていることはありますか？

部屋が散らかっていることが嫌、時短勤務で肩身の狭い思いをして働くのが嫌、夫が家事に非協力的なことが嫌、とか。

二つ三つはすぐに浮かぶと思います。しかし、それだけでは足りません。

そこで100個書き出すことにします。100個も！と驚くかもしれませんが、書き出したら出てくるものです。たとえば今挙げたことのほかに、ヒールのある靴を履くのが嫌、洗濯物を畳むのが嫌、排水溝の掃除が嫌、とか。

自分のことだけでなくても構いません。職場の人間関係が嫌、通勤すること自体が嫌、消費税が嫌、日本人特有の同調圧力が嫌、など。

100個書こうとすると、かなり対象を広げることになります。美咲と愛が書き出した例を参考にしてみてください（50個ずつ抜粋して記載しています）。

美咲の回答

ワーク①〈嫌なことを100個書き出してみよう〉

1 食事づくり

2 子どもの食が進まなかったときに、まずかったんだなと落ち込むこと

3 一生懸命肯定しようと思っても今は全然楽しくない自分

4 化粧をする時間

5 上司がいつも嫌味を言うこと

6 息子にきょうだいをつくってあげたいけど、授かるかわからないこと

7 上司のセクハラまがいの会話

8 職場でのバレンタインの習慣

9 責任逃れの発言をする人

10 部下に対する愛情がない人

11 子どもが病気をしたら母親がそばにいてあげるべき、という周りからの目

12 会社で評価されないこと

13 時短で給与が下がること

14 甘いものをやめられない自分（食事のバランスは気にするのに）

15 洗濯物が溜まること

16 掃除機がかけられていない状態

17 外食が続くこと

18 夫の実家に帰って、気を使って疲れる感じ

19 どこまで踏み込んでいいかわからないママ友との関係性

20 「〇〇くんのママ」と呼ばれること

21 ベビーカーで電車に乗るときの窮屈な感じ

22 3カ月以上美容院に行けないこと

23 誰かの悪口を聞かされること

24 寝不足の状態

25 電車で高齢者を目の前に立たせたまま席を譲らない人

26 社会問題に対して自分なりの意見を持てていない自分
27 子どもに誇れる仕事がしたいのに、そうでもないような自分
28 マニアックな面や凝り性なところがない自分
29 同意しかしない人
30 満員電車
31 昇格・昇進の前提として長時間労働が当たり前になっていること
32 女性が家事育児を担い男性が家族を養う、という価値観が世の中に根強いこと
33 息子が歯磨きを嫌がること
34 夫に素直にありがとうと言えない自分
35 息子のイヤイヤに付き合えない、うまく対応できない自分
36 会議で有意義な発言、建設的な意見が言えなかったとき
37 失敗を恐れ、慎重になりすぎて迷うこと
38 迷ったり悩んだりする時間が長く、判断や仕事が遅いこと
39 チームメンバー、上司に対して貢献できていないと感じるとき
40 時短勤務だからと周りに遠慮してばかりの自分
41 母親が時短勤務&お迎え、が当たり前な社会
42 シャンプーやリンスの詰め替え
43 トイレットペーパーの補充
44 今の会社で定年まで働くこと
45 管理職を目指すべきだとは思うけど、それでいいのかわからないこと
46 自己肯定感が低いこと
47 ハングリー精神がない自分
48 それほど大きな挫折を経験していない自分
49 好きだったスノボやテニスをしばらくできていないこと
50 仕事が好き！ 楽しい！ と言えない自分

愛の回答

ワーク①〈嫌なことを100個書き出してみよう〉

1 昇格できないこと
2 自分がいったいどこまで昇格したいのかはっきり決められないこと
3 子どもを授かる前に昇格しておきたいけど、いつ授かるかわからないこと
4 今の会社で何をしたいのかわからないこと
5 上司からの期待値が低い気がすること
6 上の人たちが部下の育成に興味がないこと
7 妊活の先生から大丈夫って言われているけど、なかなか授かれないこと
8 つい他人と比べてしまうこと
9 自分に自信がないこと
10 自分が好きでないこと
11 負けず嫌いな自分の性格
12 つい余計な一言を言ってしまうこと
13 週明けに疲れているとき
14 趣味の時間を増やしたいのにできていないこと
15 物が捨てられずに整理整頓できていないこと
16 冷蔵庫の野菜室のなかに溜まるカス
17 雨の日
18 休日に昼寝をして寝すぎてしまったとき
19 スーパーの冷蔵品コーナーが寒すぎること
20 選挙カーの騒音
21 髪を乾かすこと
22 ムダ毛の処理
23 雨の日に髪がうねること
24 コンタクトレンズの洗浄
25 ヨガを家でやろうと思ってできていないこと

26 旅行にあまり行けていないこと

27 腰回りが太って体型が崩れていること

28 肌荒れしやすくなったこと

29 会社のランチに毎日みんなで行くこと

30 飲み会の席で偉い人の隣には若めの女性を座らせるという文化

31 会社に女性の役員やマネージャーが少なすぎること

32 成果主義ではなく横並び、年功序列の給与体系

33 部内会議が報告ばかりなこと

34 会議で上の人に気を使って自由な発言がしづらい雰囲気

35 議事録は紙で印刷して上の人の印鑑をもらうという文化

36 提案を通すのに、下から順に了解を得なければいけないこと

37 イントラネットに情報が多すぎること

38 職場の飲み会でみんな気を使いすぎて自由に会話できないこと

39 仕事のための勉強をしない人がいること

40 業務知識などが属人的で、新任者が苦労する構造

41 マニュアルや文書化ができていないこと

42 実家に帰ると、忙しく家事をする母と何もしない父を見ること

43 毎日会社に行くこと

44 定時が決まっていること

45 服装に気を使うこと

46 新しいことに対して、前例がないとか前に失敗したとか言われること

47 いつも反省ばかりして、先のことを考えられないこと

48 ダイニングテーブルが郵便物や書類ばかりで綺麗でないこと

49 相手に自分の言葉が伝わったのか気になってしまうこと

50 仕事の空いた時間でもっと企画や提案をしたいけど、やっていないこと

ワーク①〈嫌なことを100個書き出してみよう〉

1
2
3
4
5
6
7
8
9
10
11
12
13
14
15
16
17
18
19
20
21
22
23
24
25

26
27
28
29
30
31
32
33
34
35
36
37
38
39
40
41
42
43
44
45
46
47
48
49
50

折り返し地点です！

ワーク① 〈嫌なことを100個書き出してみよう〉

51
52
53
54
55
56
57
58
59
60
61
62
63
64
65
66
67
68
69
70
71
72
73
74
75

76

77

78

79

80

81

82

83

84

85

86

87

88

89

90

91

92

93

94

95

96

97

98

99

100

お疲れ様でした!!

自分でコントロールできること・できないこと

二人が書き出した「嫌なこと100個」を読み終えた陽子は、「ね、書き出せるものでしょ?」と顔を上げてほほえみ、愛に尋ねた。

「愛さんはこのワークをやってみて、どんなことを感じた?」

「普段こんなことを感じていただなんて自分でも気づいてなくて、ちょっと面白かったです」

「美咲さんはどう?」

「最初は100個なんて無理だと思っていたんですけど、やってみたらスルスル書けてしまって、正直驚いてます。私、こんなにいろんなことを嫌と思いながら過ごしてたんだなって。ダークサイドな自分に気づいてしまったというか……。自分がこんなにドロドロとした感情を抱えていたなんて思ってもいませんでした」

「それで二人は、今書き出したこと、嫌だと思っていることを、これからもずっと嫌なまま過ごす? それとも嫌じゃなくなるようにしていく?」

陽子はさらっと聞いてくる。

「もちろん、嫌じゃなくなるようにしていきたいです」

愛が即答した。美咲もこくんと頷く。

「うんうん、そうよね。そのために、まずは自分でコントロールできることに集中するのが大事ね」

「自分でコントロールできること？」

「そう。さっき書き出した嫌なこと100個を、**自分でコントロールできること／できないことの視点で振り分けていく**の。たとえば、美咲さんの『上司がいつも嫌味を言うこと』というのはどっちかしら？　上司の言動そのものは、美咲さんにはどうしようもできないことよね。だからこれは、自分ではコントロールできないほうに振り分ける」

「なるほど」

愛が目をぱちくりさせる。

「上司の言動をコントロールすることはできないけれど、ではその言動を解釈する美咲さん自身の気持ちはどう？」

「どうって言われても……嫌味を言われるのはやっぱり嫌です」

「でも、もしかしたら上司は嫌味を言ってるつもりはないかも」

「え、どういうことですか？　私が帰る間際に『あれ、まだできてないの？』なんて言われたら、普通嫌な気持ちになりませんか？　私は時短でみんなより長く働けない分、勤務中は常に集中してできるだけ仕事を早く終わらせるように努力してます。だけどやっぱり時間は限られていて、子どものお迎えの時間があるから、残業は絶対にできません。しかも、仕事が本当に遅れてるならまだわかりますけど、頼まれた締切にはまだ余裕があるんです。なのに『まだできてないの？』なんて言われたら、まるで『仕事が遅い』って言われてるような気になりませんか？」

美咲は思わずムキになって、少し早口で言い返した。

そんな美咲に、陽子は淡々と質問を続ける。

「でもね、美咲さん。上司に『君は仕事が遅い』って言われた？」

「……というわけじゃないですけど……」

「もしかしたら、『あれ、まだできてないの？』という言葉は、上司にとってはただの進捗確認のつもりだったかもしれないじゃない？　それを美咲さんが嫌味だと受け取ってしまったという可能性はないかしら」

「あ…それはあるかもしれません……」

「上司に『あれ、まだできてないの?』と言わせないようにコントロールするのは難しいわね。だけど、その発言を嫌味ではなく、進捗確認だと捉えるようにするのは、美咲さん自身がコントロールできることじゃない?」

「たしかに……」

「そんなふうに、**自分が嫌だと感じていることのなかで、自分でコントロールできることには集中してみる**。そうするだけでもずいぶん楽になると思うの」

「そっか」

「実際、自分では変えられないものって世の中にはたくさんある。でも、それらをすべて嫌だと思い続けるのは疲れちゃうでしょ。エネルギーも使うしね。だから、**自分でコントロールできないもの、自分で変えられないものはいったん無理と諦める**」

「そう考えると、自分ではコントロールできないことを嫌だと思っていたかも」

「そうかもしれないわね。愛さんはどう?」

「書き出しているうちに、自分の言動や感じていることは、ほかの人から見れば違った解釈がされているのかも、って思えてきました」

「つまり客観的になってきたということかしら？」

「はい。仕事がつまらないとか、日常がマンネリ化しているとか、私が嫌だと思っていることはたくさんあるけど、まずは自分でコントロールできることから変えていこうと思います」

「……私も、イライラすることばかりでエネルギーを消耗させてないで、もっとわくわくできる人生にしたいなって思えてきました」

美咲にも笑顔が戻ると、陽子は安心したように話を続けた。

「結局、環境や他人を変えることはできないけれど、自分の感じ方や受け取り方ならば自分で変えられる。そのことがわかるだけでも、自分の人生の舵が楽に取れるようになるわ」

自分を知るために他者を活用する

陽子は、美咲と愛が書き出した「嫌なこと100個」をテーブルの上で横に並べて顔を上げた。

「ところで、お互いの書き出した『嫌なこと100個』を読んで、それぞれどんなふうに思ったかしら」

美咲と愛がお互いの顔を見合わせて「どうぞ」という表情をし合うと、「それじゃ」と愛が先に答えた。

「『そうそう、わかる！』って共感できることもあったけど、『そうかな？』って共感できないこともありましたね。たとえば『会議で有意義な発言、建設的な意見が言えなかったとき』とか『チームメンバー、上司に対して貢献できていないと感じるとき』とか。私はそんなふうに思ったことがないかなぁ」

顎に人差し指をつけて首をかしげる愛に、美咲が言う。

「そうなんですね。私は愛さんの『新しいことに対して、前例がないとか前に失敗したとか言われること』なんかは、特に嫌だって感じたことがないかもしれないです。そんな事例もあったんだって、別の案を考えちゃうところがあるかな」

「そうなんですか？　ふぅん」

愛が意外そうな顔をすると、陽子が「ほらね」と話し始めた。

「面白いでしょ？　嫌だと感じることはみんな同じだと思いがちだけど、人によって考えてることや物事の捉え方は全然違うのね。その違いが『自分らしさ』を知るためのヒントになるの」

「自分らしさかぁ……」

美咲と愛は再び顔を見合わせた。

「自分にとって当たり前になっていることは、当たり前だから自分では気づかないわよね。でも、違和感を覚えるようなことには気がつきやすいでしょう。じつはこうして二人が一緒に話せる場を用意したのは、このことに改めて気づいてほしかったからなの。**自分とは違う意見に触れることで、初めて自分の感じていることや考えていることが『自分らしい』ものだったと気づくことがある**から。ちょっと変な言い方だけれど、**自分らしさを知るために、他人を活用する**くらいの感覚を持ってもいいと思うの」

「ってことは、誰かから愚痴や文句を聞かされても、それに自分が共感できているかいないかで自分らしさがわかってくる、ということも言えますか?」

美咲の思わぬ質問に、陽子はうれしそうに答える。

「そう、そのとおり! そんなふうに考えることができれば、できれば付き合わされたくない誰かの愚痴とか不平不満とか、生産性のない話を聞かされてしまったときでも、『自分らしさを知る機会！』と思えるようになるから。もちろん、生産性のない話に付き合わされるのはできれば避けたいところだけど、やむを得ず聞かされることになったら、ぜひ試してみてね」

- 嫌だと思っていることを100個書き出してみる

- 100個書き出したなかから、「自分でコントロールできること／できないこと」の視点で振り分けていく
  →自分がコントロールできることには集中し、できないものはいったん無理と諦める

- 自分らしさを知るために、他人を活用してみる

column

モヤモヤとした不安や悩みを解消する方法

ワーク①は、読者のみなさんも参加していただけましたでしょうか。

実際に書き出してみて、どのように感じましたか?

このワークでは、自分のなかにある嫌な感情と向き合うことになりますので、少し苦しい気持ちになった方もいるかもしれません。しかし、普段からなんとなくモヤモヤとしていたことが言語化されたことで、すっきりしたという面もありませんでしたか?

普段、自分が何を考えているのか、何を感じているのか、客観的に把握できている人はじつは多くありません。ですが、言葉にして書き出してみると、それも無理にでも100個以上書き出してみると、それまでのモヤモヤの正体が見えてきます。

その結果、それまでたくさん抱えていた嫌なことやつらいこと、苦しいことなどが、**じつは自分の選択の結果である**場合が多いことにも気づけます。この選択とは、状況を選択しているということだけでなく、**起きている事象に対する感じ方や解釈の仕方さえも自分が選択している**、ということです。

つまり、出来事自体が嫌なのではなく、その出来事に対して嫌だという「感情」を、自分自身で選択しているのです。

少しわかりにくいので、例を挙げましょう。

たとえば出産に伴い職場復帰後は時短勤務になったとします。仕事内容も単純になり、職場での評価も下がってしまいました。

このことに傷ついたり落ち込んだりした場合、じつは出来事自体に傷ついたり落ち込んでいるのではなく、その出来事に対して「肩身が狭い」とか「惨めだ」という気持ちを持つことを自分で選択し、そしてそのことに対して傷ついたり落ち込んだりしている、というわけです。ですから、まったく同じ境遇にあっても、「子育てをしながら安心して仕事を続けられるとは、私はいい職場に恵まれたなぁ」と感謝の気持ちを選択する人もいるでしょう。

こんなふうにして、ある出来事に対する自分の捉え方により、無意識のうちに感情を選択しているわけです。

この選択は、すべて「自分なりのものの見方」で物事を捉えた結果ですので、**「自分なりのものの見方」を変えない限り、悩みや不安をなくすことはできません。**

そのためには、**常に自分の選択を客観的に捉える習慣を身につけなければなりません。**


もう一つ、悩みや不安を解消する方法があります。

それは、悩みや不安の対象を、自分でコントロールできることかどうか区別することです。

自分ではどうにもできないこと、あるいは変えることが非常に困難なことに対して執着すると、膨大な時間を無駄にしてしまいます。それよりは、自分でコントロールできることに集中する、**自分が意識することで見方を変えられることに集中する**ことが大切です。

そのことで、物事の見方が変わり、行動も変わってきます。

つまり、**「自分なりのものの見方」と「それに伴う行動」の二つを変えていくことでしか、自分を変えることはできない**のです。

まずはここから、スタートしましょう。

message

美咲と愛、そして陽子の三人は、次に会うまでの間もメッセージアプリで状況を伝え合う約束をします。彼女たちのメッセージから、状況や心境の変化を感じてみましょう。

陽子

美咲さん、愛さん、今日はありがとうございましたー！楽しかったですね^^

レッスンが始まって、これからいろいろなことが起こると思うのですが……
次会うまでの間に起きたこと、感じたことなどあれば気軽にメッセージしてくださいね！

愛

今日はありがとうございました！
これからいろいろなことが起こるんですか……！？
ドキドキしますが、これからの変化が楽しみです。

美咲

陽子さん、愛さん、ありがとうございました。
今日教えていただいたことを意識してこれから過ごします。
あと、夫にも話してみます！

陽子

それはよかった！

自分の思っていることを認識すること、そしてそれを言葉にして伝えることって簡単なようで難しいのよね。
愛さん、さすが！

愛

ありがとうございます。たしかにモヤモヤを言語化できたからこそ、話せたんだと思います。

3日後

愛

こんにちは！
今日、上司との面談があって、仕事にマンネリを感じていることを思い切って伝えてみました。
そしたら上司は「そうだったんだねー！」という感じで。
むしろ、話してくれてありがとう、と。

陽子

おお、早速！

愛

嫌なことを書き出して、やっぱり仕事をどうにかしたいと思って。
今までの面談では形式的なことしか話したことがなかったので、少し緊張しましたが、正直に話せてスッキリしました！

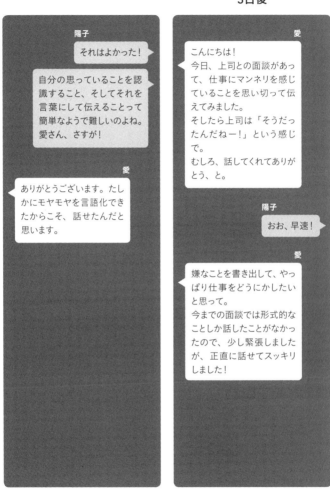

美咲

料理は自分でしなきゃって、自分で思い込んでいたみたいです。

それに、夫がじつは料理好きだったなんて。私に遠慮してたんですって。

陽子

あら、そうなんですね。話すのって大事。
夫婦のコミュニケーションのきっかけになってよかった！

翌週末

美咲

陽子さん、先日はありがとうございました！

先日陽子さんにお会いしたこと、夫にも話してみました。その流れで、食事づくりが嫌だと思っていることも伝えたんです。
料理つくるの好きじゃないし、苦手だし、ほんとゴメンって。

そうしたら、そんなこと思ってたなんて知らなかった。俺もつくれるときはつくるよ！と言ってくれて。

早速昨日、夕食つくってくれましたよ！

陽子

お、それはよかった！！

美咲

まだほかにも夫と話すことで解決できることがあるかもしれないので、また話してみます！

陽子

ぜひ！

美咲

また次回お会いできるのを楽しみにしてます！！

第2章
マイコンパス思考で未来の自分を描く

Life Career

そもそもキャリアって何だろう？

東京郊外にある大型ショッピングモールのフードコート。

そばには、小さな子どもが遊べるエリアが設置されていて、休日の昼間は特に子どもも連れの家族で賑わっている。

「なんか落ち着かない場所でごめんね」

美咲が軽く頭を下げる。

「ぜんぜん。子どもが一緒だとこういう場所のほうが楽だし。それにしても、美咲と会うのなんてめっちゃ久しぶり！」

大村則子は、本当にうれしいといった感じだ。

「まさかお互い子連れで会ってるだなんて、10年前の私たちが知ったらびっくりだよね」

「ほんとね」

二人は遊んでいる子どもたちのほうに視線を向けながら話し始めた。


則子は美咲の大学時代からの友人だ。

大学卒業後、化粧品会社に就職して希望していた宣伝部に配属された。しかしその後、結婚して一人目の子どもの育休から復帰すると、まもなく退職し、フリーのPRコンサルタントとして活動を始めていた。

「勝ち組の美咲がどうした？　浮かない顔して」

「その勝ち組とかいうのやめてよ。ぜんぜん則子のほうがいきいきしてるじゃない。羨ましい」

「あら、何かあった？　まぁ、たしかにフリーになった今のほうが楽しいけど」

「育休から復帰して半年たつんだけどさ、仕事も子育てもどっちも中途半端って感じで。時短で毎日早く帰らなきゃならないし、保育園からの急な呼び出しで早退することもしょっちゅうだし、周りに迷惑かけっぱなしで。家でも子どもの食事は適当だし、部屋はいつも散らかってるしさ。その上、お給料だって前より減って……何のために仕事してるんだろうって思っちゃう」

「家事なんて適当で大丈夫よ、ぜんっぜん問題なし！　うちも散らかり放題」

「そうかぁ……でもそれ聞いてちょっと安心したかも。則子と話してるとなんか元気出てくる。ありがとね」

　美咲は、レモネードを一口飲むと続けた。

「でもさ、則子はよく大手企業の宣伝部を辞める決心がついたよね」

「ほんとはね、もっと早く辞めたかったの。宣伝部に憧れて入ったんだけど、業務進行を管理する仕事ばかりで、期待してたようなクリエイティブな仕事じゃなかったし。仕事を外注しているフリーランスの人たちのほうが余程クリエイティブで楽しそうに仕事してるように見えて。だからその人たちに感化されたのかもね。それで、私も自分の力で仕事したいなって思うようになったの」

「なんですぐに辞めなかったの？」

「旦那に先を越されてさ。旦那はプログラマーだけど、『俺のプログラミング技術はもっと高く評価されるべきだ！』とかなんとか言って独立しちゃったでしょ。さすがに夫婦が揃ってフリーランスは不安定すぎるかなって。でも、旦那がそれなりに安定して稼げるようになったし、子育てしながら宣伝部で仕事するのはかなりキツかったし、そろそろいい時期かなと思って。それで思い切って独立したってわけ」

「でも則子は化粧品会社で業界に詳しかったわけだし、専門分野もあったからフリーでPRコンサルタントの仕事ができるようになったんでしょ？　それって、やっぱりこれまでのキャリアがあったからだよね。私なんて、なんもないなぁ」

「そう？　それは違うんじゃない？　美咲は一つの会社で人事の仕事を続けてきた実績があるし、その領域ではプロでしょ？」

「私がやってる仕事なんて誰にでもできる仕事だし。プロだなんて言えないよ」

「新卒採用の現場にたくさん立ち会ってきたとか。何百回も面接をしてきたとか。そもそも社会人経験を積んできたことだって、立派なキャリアなんじゃないのかなぁ」

「そんなもんかな……」

美咲はまた一口レモネードを飲むと、何か軽く食べない？と則子を誘った。

＊＊＊

愛がオフィスの休憩室にあるコーヒーサーバーから、コーヒーの入ったカップを取り出して円形の共有テーブルに向かうと、同僚の浅野有紀が部屋に入ってきた。

「あら、お疲れ。……って、本当に疲れた顔してるよ」

有紀もカップをセットしてスイッチを押すと、話を続けた。

「そういえば、こないだの面談どうだった？」

「いつもは表面的なことしか話さないんだけど、どうしても最近のマンネリ感に耐えられなくって。もっとチャレンジングな仕事に挑戦したいですってつい話しちゃった」

「お、チャレンジングな仕事だなんてずいぶん思い切ったね。どうしちゃったの？仕事増えると大変じゃん」

有紀はカップを持ってテーブルに置いた。

「それもあるんだけどね。20代最後の年だし、今のうちにがんばっておきたいなと思って」

「愛は希望し続けてようやく配属された今の部署だもんね。やっぱり意識が違うわ、尊敬する。私は先輩たちみたいに、子どもができたら時短にしてもらって、そこそこの生活費が稼げればそれでいいかなって思ってるけど」

そう言って、有紀はコーヒーにミルクを入れた。

「そっか。いつも慌ただしそうに仕事して、時間になるとダッシュで帰る先輩たちの姿を見てると、私は正直憧れないのよね。いつも周りに気を使ってる感じもするし。ああいう生活はしたくないなぁって」

「でもさ、この会社って育休も取れて、職場にも復帰できて、その上時短で働けるだけでも恵まれてると思うよ。別の会社で働いてた私の友達なんか、子どもができた途端に上司から『で、いつ辞めるんだ?』って露骨に言われたって」

「えー、それってマタハラってやつじゃないの?」

「そういう体質の会社だからって、その子はあっさり辞めちゃったけど」

「そうなんだ」

「うちの会社は、なんだかんだ言って良い会社なのかもね。だから愛の挑戦も応援してる!」

「挑戦って、まだ面談で話しただけで何も決まってないけどね。でも、いざ本当にそうなったらどうしようとも思うわけ」

愛はテーブルに肘をついた。

「え、なんで?」

「そろそろ子どもも欲しいし。先輩には憧れないとか言ったばかりだけど」

「あぁ……そっか。結婚して2年だったっけ」

「うん。来年30歳だし、そろそろね。まぁ、仕事もしたいし子どもも欲しいし、私ってほんとにわがままだよね」

愛は苦笑いしながらカップに口をつけた。

「愛の旦那さんって、公務員だっけ?」

「うん、都庁で働いてる」

いいなぁ、と有紀は背伸びした。

「なんだかんだ言っても、旦那が安定した職業に就いているのは安心だよ。うちの旦那なんか役職付きだけどベンチャー企業だし。今は威勢のいいこと言ってるけど、この先どうなるか正直わからないもん。まぁ、心配しても仕方ないから考えないようにしてるけど、それもあるから私は会社辞められないな」

「みんな、それぞれ不安や悩みは尽きないね」

そろそろ戻ろうか、と二人は休憩室を出て行った。

キャリアとは人生そのもの

ビルの中庭を眺められるカフェテラス。ウッドデッキに並べられたテーブルの一つに、美咲と愛、そして陽子の姿があった。

「たしかに独立してフリーランスとして働いたり、起業したりすることも悪くないわね。私も二度目の育休のときにこれからの働き方を考えた結果、こうして独立したわけだから」

陽子は、美咲の友人が会社を辞めてフリーのPRコンサルタントとして楽しそうに働いているという話を聞いて答えた。

「最近、私の周りにもフリーランスになったり起業したりという人の話が多いです」

愛も独立することには興味がありそうだ。

「でもね、独立することだけが答えではないから、慌てなくてもいいと思うの。美咲さんのお友達の場合は、たしかに独立したのが合っていたみたいだけれど、これという正解はないから。自分は自分だって考えたほうがいいわ。独立して苦労してる人もたくさんいるし、会社勤めでもいきいきと働いてる人もいる。前にも話したけど、人をむやみに羨ましがるんじゃなくて、他者を活用して自分を知るという視点を持つことが大事なの」

それとね、と陽子は続ける。

「キャリアっていうと一般的には仕事という意味で使われることが多いけれど、私は『キャリアとは人生そのもの』だと捉えているの」

「人生そのもの？」

美咲が尋ねた。

「そう。**仕事だけじゃなくて、家事や子育て、趣味などのプライベートの活動も含めてすべてが『キャリア』**。美咲さんなら、会社員として仕事することも、母親として子どもを育てることも、地域活動をすることも、全部キャリアなの。だから、たとえ子どもを産んで仕事を辞めたとしても、そこで美咲さんのキャリアが途切れることもないし、分断されることもないのよ」

「出産すると、そこでキャリアが途切れてしまうと不安に感じてました」

「そんなことないから大丈夫。ただ、キャリアには正解はないし、誰かが決めてくれるわけでもない。自分らしいキャリア、つまり自分らしい生き方を自分で定義していくしかないわ」

「……なんだか難しそう」

美咲の言葉に、陽子は頷く。

「普段あまり考えるようなことではないから、そう感じるのもわかるわ。何も四六時中、『自分らしいキャリアとは何か？』なんて考える必要はないのよ。でも、ときどきでいいから、要所要所で立ち止まって内省することが大事だわ。前にもお話ししたと思うけど、『転機』はその絶好のタイミングなの。これまで自分は何をしてきたのか、今どんなことができるのか。そして、これからどんなふうに生きていきたいのか。それを考える絶好のタイミングが『転機』ってわけ」

うーん、と考え込む美咲と愛に陽子は続けた。

「時間なんてあっという間に過ぎてしまうものよ。あとで『何やってんだろう』と後悔しないためにも、ときには立ち止まって考える時間が必要なの」

「あ、それすでに私は思ってます。『私、何やってんだろう』って」

美咲がため息まじりに答えた。

「それはすごくラッキーね。女性の場合、20〜40代でライフイベントが立て続けに起きる場合も多いから、悩むことも多いけれど、早い時期に考えるタイミングを持てるというのは、ある意味でとても幸運なことなのよ」

理想のキャリアを描くための「マイコンパス」

「立ち止まって考えるといっても、どこから何を考えていったらいいのかわからないわよね。正しい手順が大事だというのは前にも伝えたと思うんだけど、『思い込みを取り払う』ステップを経て、次は**『理想のキャリアを描く』**ステップ。ここでは何をするかというと、**『マイコンパス』を決める**の」

「マイコンパス？」

美咲と愛が同時に聞き返した。

「マイコンパスというのは『自分らしいキャリアを実現するための指針』という意味で、私の造語なの。自分の人生のコンパス、といったところかしら」

「ああ、そのコンパスですね」

「転機の渦中にいて、役割も変わっていくし、時代もどんどん変化していく。でも、自分がどこに向かって進んでいくといいのかを誰かが教えてくれるわけでもない。変化することや変化するかもしれないことばかりに意識を向けていたら、前に進めなくなってしまうじゃない？　だからマイコンパスが必要になるのね」

「ときどき、自分がどこに向かって進めばいいのかわからなくなる気がします」

愛がぽつりと呟く。

「ほら、多くの人は目的地を決めずに旅行したりしないでしょう。だけど、キャリアでは行き先を決めずに流されるがままに旅してるようなケースが意外と多いのよ。もちろん、マイコンパスがあるからといって、絶対に迷わなくなるわけではないのだけど。でも、確実に前に進みやすくなるわ」

陽子の例えに、愛は納得するように頷いた。

「自分らしいキャリアを叶えるために必要なマイコンパスは、次の三つで構成されているわ。理想のキャリアを描くフレームワークのようなものね」

【マイコンパスを構成する3要素】

1. 自分らしさ…自分の才能や強みなどの自分らしさを理解すること

2. 理想のライフスタイル（自分、仕事、家族）…自分にとって理想のライフスタイルを描くこと

3. つくりたい未来…こんな社会にしたい！というつくりたい未来を設定すること

「この三つの要素を考えていくプロセスを経て、マイコンパスを決めていくわ」

マイコンパスとは？

「自分らしいキャリア」を実現するための指針

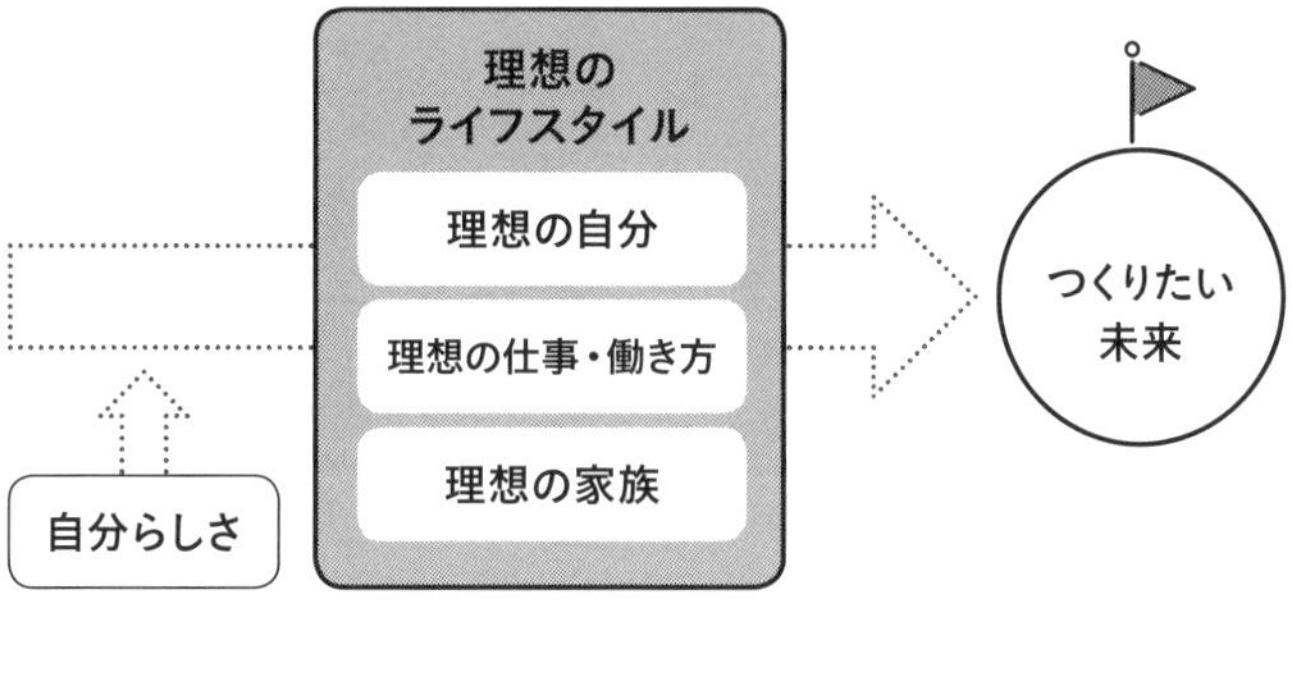

マイコンパスの要素①——自分らしさ

「それでは、まず『自分らしさ』からいきましょう」

「いきなり言われてもなぁ……」

「自分が一番わかってないかも」

美咲は首をかしげ、愛も腕を組んで考え込んだ。

「そう、自分のことってわかっているようだけど、改めて聞かれるとわからないものね。そこで、自分らしさを確認するヒントとして、自分の強みや弱み、得意なことや苦手なこと、そしてストレスを感じやすいことは何だろうって振り返ってみるの」

美咲と愛は引き続き考え込んでいる。

「そして、**自分らしさを表現する言葉をたくさん書き出してみる**のよ。『私は〇〇です』というように。これはあとで用紙を渡すからそこに書き込んでみてね。ほかの方法として、**自分のことがどんな人に見えているのかを他人に尋ねてみる**のもありね。ちょっと照れくさいけれど、自分では気づいていなかった面を発見できる可能性が高いわ」

「ほかにも何か方法はありますか？」

愛が尋ねる。

「すでに書き出してもらった『嫌なこと100個』のなかにも自分らしさのヒントがたくさん盛り込まれているから、時間があるときに読み直してみてね」


陽子は一口コーヒーを飲むと続けた。

「そして今度は、過去の経験から自分らしさに気づく方法を実践してみましょう」

「過去の経験からですか？」

「過去の経験って、思い出せそうで思い出せない」

美咲も愛も困惑している。

「じつは過去の経験をどのように乗り越えてきたのかを視覚化できる方法があるの。二人とも『ライフラインチャート』って聞いたことある？」

「え、それ何ですか？」

「私も初めて聞きました」

「これまで生きてきたなかで自分の身に起きたことを、『充実度』で振り返るというものなの。自分史みたいなものかしら。早速やってみましょう」

ワーク② 〈ライフラインチャートを描いてみよう〉

ワークは、読者のみなさんも参加してみてください。

今回のワークは、〈ライフラインチャートを描いてみよう〉です。

ライフラインチャートは、これまでの自分の人生の充実度をチャートで表すというものです。過去の経験には多くの示唆が含まれています。これまでの経験を振り返り、自分らしさを深掘りしていきましょう。描き方は次のとおりです。

- 横軸で年齢を表します
- 左端を起点として書き始めの年齢を決めます（こだわりがなければ10歳に設定）
- 書き始めの年齢～今の年齢までを均等に配置します
- 縦軸で充実度を表します
- 現在を0として過去の出来事を充実度の高低で表示します

・充実度の高低に関わる出来事をイベント単位で記入します
・充実度が上昇または下降した理由を吹き出しで記入します

特に次の質問に答えながら描いてください。

・ピーク時の成功体験は何でしたか？
・ボトム時の失敗体験は何でしたか？
・成功体験に共通することは何でしたか？
・充実度に影響を与える要素は何でしたか？
・成功体験／失敗体験を振り返り、自分の得意なこと、強みは何だと思いますか？

ワーク② 〈ライフラインチャートを描いてみよう〉

【美咲の回答】 ワーク② 〈ライフラインチャートを描いてみよう〉

・ピーク時の成功体験は何でしたか？

↓狭き門をくぐり抜け総合職へコース転換できたこと。成長を感じられない環境に危機感を感じていたので希望に満ちていた。

・ボトム時の失敗体験は何でしたか？

↓結婚後、そりの合わない上司からの嫌がらせに悩む。

・成功体験に共通することは何でしたか？

↓実行したいことを周囲を巻き込みながら進めていたこと。

・充実度に影響を与える要素は何でしたか？

↓仕事でも私生活でも、自ら働きかけることで、自分が成長できる刺激的な環境に身を置いて、周りの役に立てているという充実感を感じること。

・成功体験／失敗体験を振り返り、自分の得意なこと、強みは何だと思いますか？

↓苦手な人もいるが、自分が苦しいときに味方となる人を見つけるのが上手で、かつ助けてもらえるような関係を築けること。

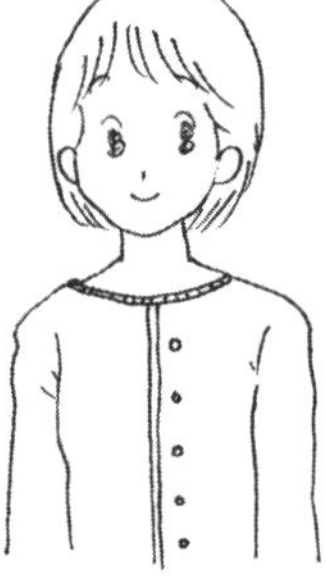

美咲のライフラインチャート

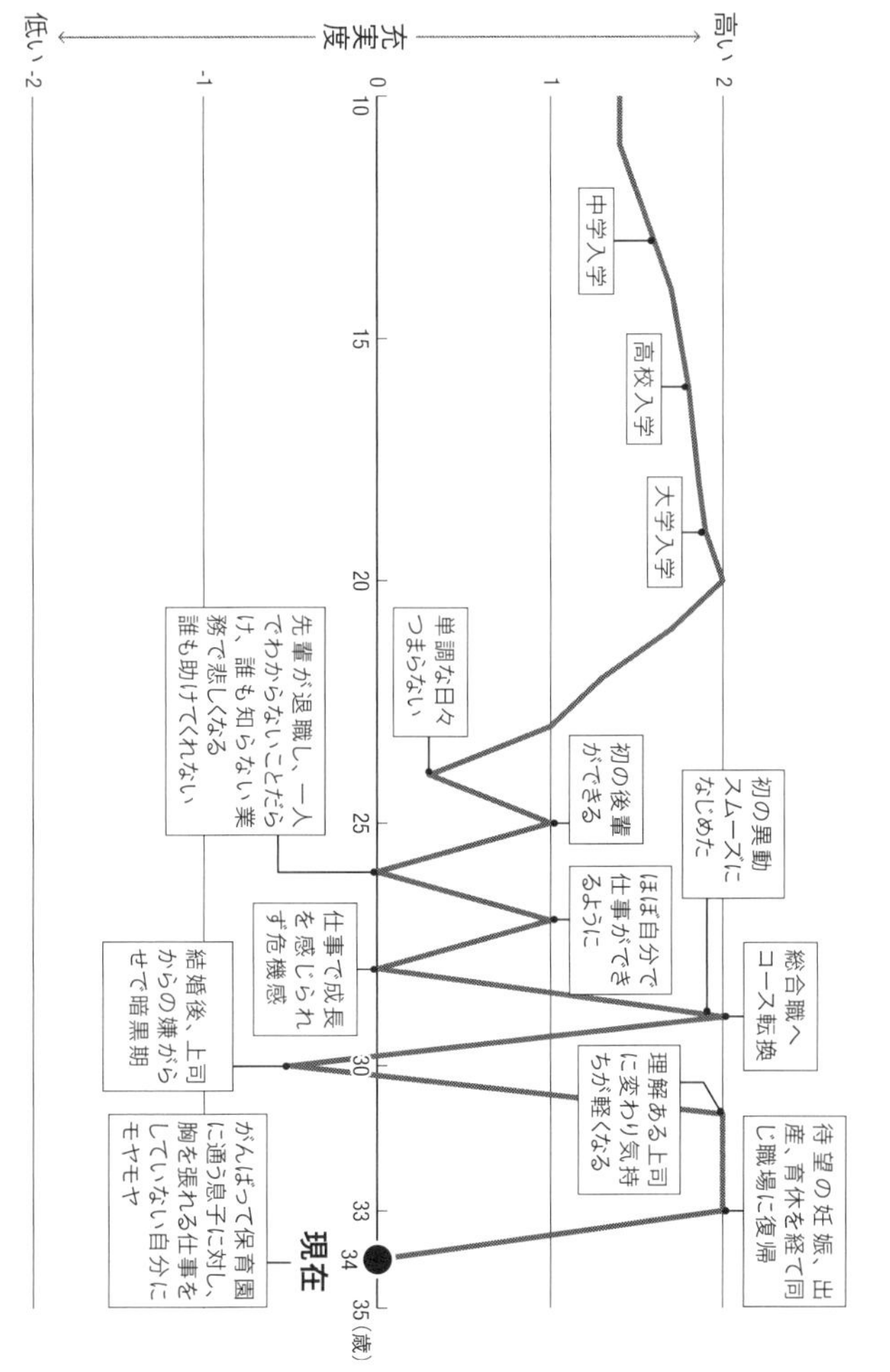

充実度
高い 2
1
0
-1
低い -2
10
15
20
25
30
33
34
35（歳）
中学入学
高校入学
大学入学
単調な日々つまらない
初の後輩ができる
先輩が退職し、一人でわからないことだらけ、誰も知らない業務で悲しくなる 誰も助けてくれない
初の異動スムーズになじめた
ほぼ自分で仕事ができるように
仕事で成長を感じられず危機感
総合職へコース転換
結婚後、上司からの嫌がらせで暗黒期
理解ある上司に変わり気持ちが軽くなる
待望の妊娠、出産、育休を経て同じ職場に復帰
がんばって保育園に通う息子に対し、胸を張れる仕事をしていない自分にモヤモヤ
現在

【愛の回答】 ワーク② 〈ライフラインチャートを描いてみよう〉

・**ピーク時の成功体験は何でしたか？**

↓仕事とプライベートがともに充実していたこと。プライベートで立ち上げたプロジェクトでは組織づくりを体験。自分の意見を発信する楽しさ、年齢や職業の異なる仲間とのぶつかりもありながら、協同できることの楽しさを学んだ。

・**ボトム時の失敗体験は何でしたか？**

↓子どもができない、仕事もうまくいかない今は結構つらい。思うように物事が進まないとつらく感じる。

・**成功体験に共通することは何でしたか？**

↓自分のできることから始める。動くことで前に進んでいく感覚？

・**充実度に影響を与える要素は何でしたか？**

↓仕事でもプライベートでも、「やってる感」を感じられること。

・**成功体験／失敗体験を振り返り、自分の得意なこと、強みは何だと思いますか？**

↓今の不満に対して、「今何ができるか」行動計画を立てることができる。

愛のライフラインチャート

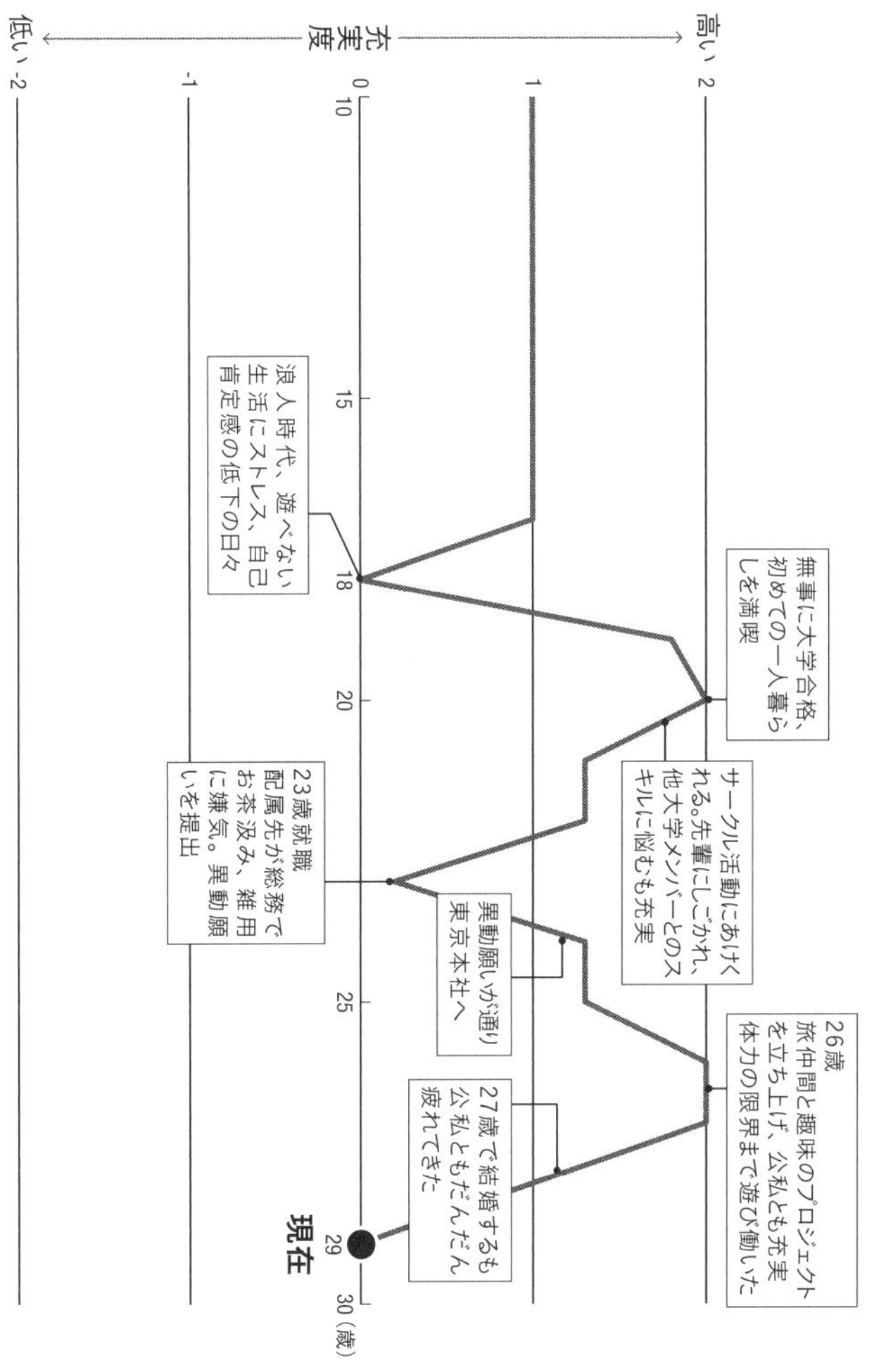

高い 2
1
0
-1
低い -2
充実度
10
15
18
20
25
29
30（歳）
現在
浪人時代、遊べない生活にストレス、自己肯定感の低下の日々
無事に大学合格、初めての一人暮らしを満喫
サークル活動にあけくれる。先輩にしごかれ、他大学メンバーとのスキルに悩むも充実
23歳就職 配属先が総務でお茶汲み、雑用に嫌気。異動願いを提出
異動願いが通り東京本社へ
26歳 旅仲間と趣味のプロジェクトを立ち上げ、公私とも充実 体力の限界まで遊び働いた
27歳で結婚するも公私ともだんだん疲れてきた

陽子は美咲と愛が描いたライフラインチャートをじっと見つめている。

「二人とも本当に違った印象で面白いわね。まず美咲さんにとっては、人との関わりや人の役に立つことがすごく大事なのね。ライフラインチャートにも上司が何度も登場しているし」

「言われてみればそうですね。たしかに、自分が役に立っているかどうかをすごく意識しています。でも面白いですね、チャートに自分らしさが出てくるんだ」

美咲は自分が描いたライフラインチャートをしげしげと眺めた。

「一方、愛さんのライフラインチャートにはほとんど人が出てこない。ここから、愛さんが自分で主体的に動くことを大事に考えている印象を受けるわ」

「それ当たってます！　自分の意志で行動できているときは充実感を得られますし、思いどおりにいかないと結構苦しい気持ちになるかも」

「ライフラインチャートは、**これまでの自分の人生の充実度を見直すことで、自分らしさを確認できる**のよね。その上で自分らしさを表現できるようにすると、もっと自分のことがわかってくるわ。次のワークをやってみましょう」

ワーク③ 〈自分らしさを表現してみよう〉

ワークは、読者のみなさんも参加してみてください。

今回のワークは、〈自分らしさを表現してみよう〉です。

自分らしさを表す表現を、「私は〇〇です」という形で、箇条書きで構いませんのでできるだけたくさん書き出してください。

ほかにも、身近な人に自分がどんな人間に映っているかを思い切って尋ねてみるのもいいでしょう。今まで自分では気がつかなかった意外な発見もあり、参考になると思います。

いくつぐらい書けるでしょうか?

次の例を参考に、ワークシートに書き込んでみてください。

[記入例]・私は人の相談に乗るのが好きです。

・私は思い立ったらすぐに行動します。

・私は恥ずかしがり屋です。

ワーク③〈自分らしさを表現してみよう〉

私は

私は

私は

私は

私は

私は

私は

私は

私は

私は

私は

私は

私は

私は

私は

私は

私は

私は

私は

私は

私は

私は

私は

私は

私は

私は

私は

私は

私は

私は

マイコンパスの要素②――理想のライフスタイル

この日、美咲と愛は陽子のオフィスに来ていた。

「美咲さんも、そろそろお子さんを旦那さんに任せることに慣れてきたんじゃない？」

陽子が二人の前に紅茶を置きながら尋ねた。

「はい、最初はこわごわだった夫も今ではすっかり慣れて、子どもとの濃い時間が過ごせると楽しんでいます。おかげで、こうして自分の時間も増えてきました。以前は子育て中は自分一人の時間を持つなんて無理、我慢しなくちゃと思い込んでいたのに、なんだか不思議です。夫とも以前よりコミュニケーションが取れるようになってきて、最近は前向きな気持ちになれることが多くなった気がします」

美咲はうれしそうに報告した。

「愛さんはどう？」

「前にメッセージでも送ったんですけど、マンネリ感に耐えられなくて、上司との面談で『チャレンジングな仕事に挑戦したいです！』と思い切って伝えたのが、最近の一番の挑戦です。今までは面談で上司に本音を話したことなんてほとんどなかったので」

「その後は何か変わりそう？」

「まだはっきりとはわからないんですけど、何か少し変わるような予感はあります。というのも、昨日ちょうど上司から『まだ正式決定ではないけど、近々いい話ができるかもしれないので楽しみにしておくように』とだけ言われたんです。なので久々に仕事でちょっとわくわくしています」

愛もいきいきとした表情で答えた。


「さて、今日はね、次のワークに入る前に少し話をしようと思うの。突然だけど、10年後、自分がどうなっていたらいいなと思う？」

「10年後ですか？」

「うーん……まったくイメージが湧かないです」

「そうね、10年先のことなんて正直どうなっているかわからないわね。それでも、こんなふうになっていたらいいなと思う理想のライフスタイル、その姿を想像してみてほしいの。妄想レベルでも構わないから」

「妄想？」

「そう。今の延長線上にある姿にとらわれずに、どうなっていたいかを自由に想像してみるの。10年後はテクノロジーももっと進化してるだろうし、今とはいろんなことが大きく違う世界になっているかもしれない。未来を正確に予測することはできないけれど、自分がどうなっていたいかというイメージは持つことができる。なぜなら、それは自分の主体的な意思だから」

「……でも、ちょっとモヤモヤします。だって、なりたい自分を自由にイメージすると、現実とのギャップを感じたり、果たして自分にそうなるだけの能力や意欲があるだろうかって不安になってしまいそうで」

美咲が訴えると、でもね、と陽子は続ける。

「**なりたい自分のイメージを描かない限り、なりたい自分にはなれない**の。自分の理想のキャリアを考えていく上では、ここはとても大事なステップなのよ。大丈夫、自分でイメージできる姿は必ず実現できるから。これまでのワークを進めてきて、自分の本当の気持ちに近づいている今なら、理想のライフスタイルがきっと描けるはずよ」

美咲は不安そうな表情のままうつむいている。

「ここで大事なのは、**社会的に良いとされる姿じゃなくて、自分が本当になりたいと思える姿をイメージする**こと。ただ、漠然と理想のライフスタイルを描くといっても、いきなりは考えにくいものね。そこで、**『理想の自分』『理想の仕事・働き方』『理想の家族』**の三つに分けると考えやすいわ。10年後は、どんな自分になっていたいか？　どんな仕事をして、どんな働き方をしていたいか？　どんな家族になって／持っていたいか？　この三つの側面からできるだけ具体的にイメージしていくの」

「私は39歳か。40歳目前、何してるんだろう？」

愛が呟いた。

「10年後というと私は44歳、夫は45歳、子どもは11歳……小学5年生か。ずいぶん大きくなってるのね」

美咲も10年後の姿を模索し始めた。

「わくわくしながら理想のライフスタイルを想像してみてほしいの。ただ、自分の知っている範囲でしか想像って膨らませられないでしょう？　だから、**その知識の範囲自体を広げることも大事になってくる**わ。そもそも自分が知らないことは、思い描くことすらできないじゃない？」

愛も美咲も、きょとんとしている。

「ほら、たとえば小学生に対して『なりたい職業は何ですか？』と尋ねても、なかなか『キャリアコンサルタント』なんて出てこないわよね。でもそれは当たり前のことで、彼や彼女たちの多くは、そもそも『キャリアコンサルタント』という職業を知らないから。だから結局、みんな自分が知っている職業のなかから選ぶだけでしょう？」

二人は、なるほどという表情をした。

「つまり**理想を描くには知識も必要**。だから、もし理想の姿をイメージするのが難しいときは、調べることから始めてみるといいかもしれないわね。今の時代に、実際にどんな働き方や生き方をしている人がいるのかをリサーチしてみるの。ただ、ちょっと気をつけてほしいのは、時代はどんどん変わっていくってこと。今ある仕事が10年後もあるかどうかは予測できない。だから、リサーチして、いいなと思ったものをそのまま自分の理想にするというよりも、**自分がなぜそれを素敵だと感じたのか、その理由を考えてみる**といいかもしれないわ」

愛はカップを置き、陽子に尋ねた。

「どうやってリサーチするんですか？」

「特に決まったやり方があるわけではないけど、インターネットで調べてみるのはすぐにできるわね。ぼんやりとこんな感じになれたらいいな、って考えたことをベースにいろいろと検索してみるの。たとえばインタビュー記事なんかはヒントがたくさんあると思うわ。ほら、いろいろな女性のインタビュー記事が載ってるウェブメディアもたくさんあるでしょう。『理想をリサーチする』という視点で改めて見ると面白いわよ」

美咲と愛が感心したように頷く。

「ほかにもブログやSNS、雑誌や本も参考になると思うわ。あと、書店や図書館もヒントの宝庫でしょ。それから、気になるセミナーや講演会があれば、思い切って参加してみるのもいいわね。内容そのものや登壇者の話はもちろん、参加者同士の交流がリサーチになる場合もあるし」

陽子が次々とヒントを出してくるので、美咲も愛も慌ててメモを取り始めた。

「とにかく、常にアンテナを張りめぐらせること。**理想をリサーチするという視点を持つと、日常のありとあらゆる場面がリサーチの場になる**から。それに、自分がこんなことできるはずがない、どうせ自分には無理だと思っているようなことだって、実現している人がきっとどこかにいるはず。そういう人を見つけられたら、その人がどうやって実現したのかも調べてみる。理想を実現している人がいたら、絶望するんじゃなくて、道を切り拓いてくれてありがとうって感謝するくらいの気持ちを持つ。こんなふうに、リサーチする方法は本当になんでもありだから、いろいろと工夫して調べてみてね」

「陽子さんのお話を聞いてたら、なんだかすぐにでも調べてみたくなりました」

美咲の表情が明るくなった。

「そう、わくわくする気持ちが一番大切だから！」

ワーク④ **〈理想のライフスタイルを思い描こう〉**

ワークは、読者のみなさんも参加してみてください。

今回のワークは、〈理想のライフスタイルを思い描こう〉です。

理想のライフスタイルは、主に「理想の自分」「理想の仕事・働き方」「理想の家族」の三つに細分化できます。それぞれについて、美咲と愛の回答を参考に、できるだけ具体的に書き出してください。

このとき、頭に浮かんだ理想だけでなく、インターネットや本、講演会、セミナーなどの情報を活用して、できるだけ視野を広げながら書き出してみましょう。いいなと思った仕事や働き方、理想の人物像など、複数の要素を組み合わせながら自分の理想をイメージしていきます。

ただ、ここで決めたことが絶対ではありません。あくまでも仮決定ですから、あまり堅苦しく考えずに、わくわくしながら気楽な気持ちで描いてみましょう。あとでもっと理想的なイメージが描ければ、その都度アップデートしていけば大丈夫です。

(ワーク④)〈理想のライフスタイルを思い描こう〉

(　　) 年後、理想の自分

理想の仕事・働き方

理想の家族

その他 メモ

【美咲の回答】 ワーク④〈理想のライフスタイルを思い描こう〉

〈10年後の理想〉

夫45歳、私44歳、息子11歳、第二子7歳になっている。

・理想の自分

↓自分の存在や仕事が、社会や組織に対してプラスになっている、貢献できていると感じながら日々を送っている。

↓嫌なことはやらない生活、嫌なことがあっても捉え方を変えることができる自分になっていて、穏やかでいつも笑顔で過ごしている。

・理想の仕事・働き方

↓会社では、人事の立場で人材育成、特に若手の育成研修やワーママ社員のネットワークづくりなどの社員のキャリア支援を担当している。自分である程度の裁量を持ちながら、周囲と協力しながら仕事ができている。

↓副業も認められ、週末はワーママのキャリア支援、地方で働くワーママのキャリア支援の仕事をしている。

↓自分の過去の経験を活かしながら、社内外の仕事にいきいきと取り組んでいる。

・理想の家族

↓子どもたちも小学生となり、慌ただしくも毎日和気あいあいとした笑顔の家族でいられる。

↓息子は下のきょうだいの面倒をよく見る優しい子ども。

↓下の子は、お兄ちゃんが大好きな子ども。

↓そんなほのぼのとした二人の姿を見て、私も夫も毎日元気をもらう。

↓夫も責任のある仕事が増えているが、働き方改革が進み、毎晩みんなで食卓を囲むのが幸せなひととき。

【愛の回答】ワーク④〈理想のライフスタイルを思い描こう〉

〈10年後の理想〉

・理想の自分

↓東京で働きながら、週末や長期休暇は自然豊かなところで過ごせるような、2拠点生活をしている。

↓家族で過ごしたり、一人で過ごしたり、そのときどきで自由なスタイルを選んでいる。

↓2拠点を行き来したり、別宅を持てるような経済的基盤もある状態。

↓毎日の仕事のやりがい、生活スタイル、お金のすべてにおいてストレスなく、バランスよく心が満たされた生活をしている。

・理想の仕事・働き方

↓マーケティングの経験を活かしながら、地域のものづくりのマーケティング支

援の仕事をしている。会社に所属しているが、働き方は自由。会社で仕事をすることもあれば、コワーキングスペースや旅先で仕事することも。

↓仲間と話しながらアイデアが浮かんだらすぐ企画したり、リサーチしに出かけたり。そんな働き方をしながらも、社会やお客さまに対して、新しい価値をお届けすることを仕事にしている。

↓別宅のあるエリアでは、コワーキングスペースをつくって、休暇中でもゆるやかに働くスタイルができている。

・**理想の家族**

↓夫とは仲良く、なんでも話せる関係。

↓子どもは二人。週末や休暇中は、別宅のあるエリアで自然のなかで走り回って遊べる。

↓親も子どももいつもストレスフリー。

マイコンパスの要素③――つくりたい未来

「今度は『つくりたい未来』の話をしましょう」

「それは、さっきの『理想のライフスタイル』とはどう違うんですか？」

愛がぽかんとした表情で聞いた。

「理想のライフスタイルを考えるときは『自分』にフォーカスしてきたけど、次は『社会』に目を向けてみようってこと。自分がこれからどんな社会をつくりたいのか、そのために自分がどんな役割を果たしたいかを考えるの」

「なんだか壮大な話ですね……」

「大きな話に感じるかもしれないけれど、どんな社会にしたいかを考えることはとても大事。たとえば、いいところに住みたい、いい服が着たいといった『自分』の欲求だけだと、それが叶っても最初はうれしいんだけど、あまり満たされなくて。自分の力をどう社会に還元していくか、という視点で考えていくのも大事なの」

といっても考えにくいわよね、と陽子がフォローを入れる。

「身近なことからでいいの。なぜこんな理不尽なことがまかりとおっているんだろう？っていう憤りとかね。だけど、そういうことっていちいちメモしないから覚えていないだけで、たくさんあると思うわ」

「理不尽に思うことなんて、メモしてたらたくさん溜まってそう」

美咲が肩をすくめる。

「じつは、二人にはもう材料があるのよ。ほら、ワーク①で嫌なことを100個書いてもらったでしょ？　あそこに二人の憤りや問題意識がたくさん詰まってるわ。これって不便だなぁとか、こんなものや制度があったら便利だし快適だな、とかね。普段からいろいろと感じていると思うの」

「そっか、あれを見返すのか」

美咲が驚いたような表情で呟いた。

「つくりたい未来を考えるのって、すごく大事なところ。だから、ゆっくり考えてみてほしいの。次までの宿題にするわ、1週間後に」

「次回もこちらにお伺いすればよろしいですか？」

愛がすぐさま尋ねる。

「いつも週末に出てくるのは大変よね。私も日中はなかなか時間が取れないし、次回はオンラインで話しましょう」

「オンラインで？」

美咲が不安そうに尋ねる。

「あら、使ったことない？　私は普段からよく使うんだけど、とても便利よ。会って話すのとあまり変わらないし。使い方はとても簡単だから大丈夫。指定の時間になったら私からメッセージアプリに送るＵＲＬにアクセスするだけだから」

「それなら私にもできるかも」

美咲が安心すると、愛も楽しげに答えた。

「私も仕事で数回しか使ったことないけど、やってみます！」

「何事も経験ね。やってみれば簡単で便利よ。それではまた1週間後に。次回は二人のマイコンパスを決めるから、楽しみにしておいてね」

ワーク⑤ **〈どんな未来をつくりたい？〉**

ワークは、読者のみなさんも参加してみてください。

今回のワークは、〈どんな未来をつくりたい？〉です。必ずしも壮大なテーマである必要はありません。普段の生活で感じる不便さを改善したり、理不尽だと思えることを解消できている未来です。

そして、こんな社会になったらいいな、と思える未来を書き出してください。

ちょっと思い浮かばないなぁ、という人は、ワーク①で書き出した「嫌なこと100個」を見直してみるといいでしょう。そこにはすでに、たくさんの問題意識が詰まっているはずです。

自分がすでに新しいステージにいてわくわくしている気持ちを想像しながら書き出してみましょう。

ワーク⑤〈どんな未来をつくりたい？〉

普段の生活で感じる不便

理不尽だと感じること、問題意識

つくりたい未来

【美咲の回答】 ワーク⑤〈どんな未来をつくりたい？〉

〈これまでの私を振り返ってみて〉

・こんな普通の私でも総合職になれる
・どうせ仕事するなら楽しくやりたい
・希望すれば転勤だってできる
・結婚しても仕事を続けることができる
・時差出勤できる
・育休を経ても復帰ができる
・時短勤務でも職場メンバーと円滑に仕事ができる
・時短勤務でも自分の意見を通すことができる
・社内規程でもおかしいと思ったことには声を上げる

……などなど、今の会社で「女性の働き方」の選択肢を広げるべく行動をしていた。
私の背中を見て、後輩たちに少しでも勇気が出ればという思いで走り続けてきた。「女

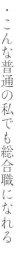

性だから」という理由で嫌な思いもいくつかしてきたけど、それはすべて後輩のため。「前例がないならつくればいい」と動いてきた。

その使命感が今はないのだけれど、つくりたい未来という観点で言えば、「女性がいきいきと働ける社会」なのかな。

既成概念を捨て、選択肢を増やして自分のやりたいこと、楽しいと思えることを仕事にして過ごす毎日になったら、みんな幸せなんじゃないかな。

そうすれば会社の男性陣にも笑顔が増え、満員電車のギスギス感もなくなり、なんなら満員電車さえもなくなるかもしれない。

そうか、私は笑顔になりたいのだ。そして他者も笑顔にしたい。

このあたりなのかな、私のつくりたい未来は。

【愛の回答】 ワーク⑤〈どんな未来をつくりたい？〉

未来の自分はどんなふうに生きていたいんだろう。
自由にイメージして書いてみた。

・心にゆとりを持ち、人と人とのつながりに感謝する
↓時間が一つのネック。日本では、通勤ラッシュとかの、我先にと競う姿が心の狭さを象徴的に物語っている。あの一分一秒をどうしたいんだろう。

・自然のエネルギーを体感し、内からパワーを生み出す
↓（たまに参加する屋外のヨガイベントでの気づき）自然と触れ合うことで、自分が抱えているもののちっぽけさに気づく。足の裏から大地の温度を感じ、体の奥まで新鮮な空気を吸い込み、太陽の暖かさに感謝し、夜の闇に心を鎮める。日常的には難しくとも、それを体感する機会を持てる。

五感をフル回転させると、第六感が冴えてくるあの感覚が本当に心地いい。

・明日を楽しみに生きる
↓明日の自分にわくわくできる。明日への希望を自ら生み出せる力を持てる。自己成長を促せる力がむくむく湧いてくる。

・目標に向かって自由な道のりを生きる
↓日本人の「忍耐」「苦労」美学がどうも無駄に思える。努力でしか得られないものはもちろんあるけれど、でもそれは忍耐や苦労そのものが評価されることではないと思う。


イメージしたことを簡単に言うと、「ストレスフリーな状態」かな。

そして書いてみて気づく。私は自由が欲しいんだ。

私のつくりたい未来をまとめると「心と時間の余裕を持ち、素直な気持ちで心をゆるませ、未来にわくわくする」。

column

社会に果たすべき役割とは？

私は、人は生まれながらに社会に対して果たすべき役割を持っていると考えています。

果たすべき役割というと、母親としての役割や何かしらの組織の一員としての役割が思い浮かぶかと思います。しかし、それだけではなく、「社会」に対する役割もあると思うのです。自分らしさを活かし、自分ならではの気づきや視点で社会をより良くする、という役割です。「そんな大層なことはできない」と大袈裟に考えてしまうかもしれませんが、「社会」とは、必ずしも日本や世界といった広範囲を指しているのではありません。

たとえば、自分以外の誰かと関わりを持った時点で、そこに一つの社会が生じます。家族も一つの社会です。それから自分が暮らす町や市、勤務先の職場も社会ですね。

このように、「社会」という言葉のスケール感に気負うことなく、どんな未来をつくりたいのかを考えてみてください。

ちなみに私がつくりたい未来というのは、「女性がライフステージの変化に柔軟に才能を活かしながら、幸せに生きていける社会」です。この言葉を、毎年新しい手帳の1ページ目に必ず書いています。そして、何か迷ったときには、必ずこの目標に立ち返っています。

特に起業してからは、何事も自分で主体的に決める必要があります。

個人カウンセリングを辞めてオンライン講座をスタートする決断をしたとき。

新しい取引先やパートナーと仕事をすることを決めるとき。

さまざまな選択の場面で、「つくりたい未来」に立ち返るようにしています。厳密に言うとつくりたい未来だけではなく、理想のライフスタイルや自分らしさも考慮した上で意思決定するようにしていますが、まずは自分がつくりたい未来に合致するか？を自問することから始めています。

このように、つくりたい未来を設定することで、ロールモデルもない、正解もない時代を歩んでいく上で、迷ったときの道しるべとなります。

ですから、ぜひとも、つくりたい未来を考えてみましょう。

マイコンパスを仮決定する

1週間後の22時。今日はオンラインで話す日だ。

美咲は、陽子から送られたオンライン会議用のURLをクリックする。

「美咲さん、愛さん、こんばんはー」

陽子が画面に現れた。

「あ、陽子さん、こんばんは！」

と美咲が言うと、

「すっぴんで、しかも部屋着ですみません。ちょっと恥ずかしいですね」

と愛も画面に加わった。

「ふふ、そうよね、でも意外とありでしょ。私もすっぴん」

と陽子も自分の顔を指差して笑った。

「子どもがいると夜はなかなか出歩くことも難しいけど、寝かしつけたあとだと意外に時間を取れたりするのよね。最初は私も、夜遅くのミーティングってどうかなと思っていたけど、子育て中の方にはとても好評なの。ときどき、オンラインで飲み会なんかもしてるわよ」

「えー、そうなんですか。楽しそう」

お酒が好きな美咲は興味津々だ。

「便利なものはどんどん使わなくちゃね。もし途中でお子さんが起きてしまったりしたら、遠慮なく対応してね」

「ありがとうございます」

美咲が軽く頭を下げた。


「さて、さっそく本題に入りましょう。二人が事前に送ってくれた『つくりたい未来』読んだわ。実際に考えてみてどうだった？」

美咲がすぐに答える。

「私は子育てしながらの働きにくさに問題意識があったので、働き方にすごく関心が高いってことに気がつきました。その点を掘り下げて考えてみたんですけど、私は、働く人がみんな笑顔になる社会をつくりたいのかな、という自分に気がつきました」

「働く人が笑顔になる社会なんて、とても素敵な未来ね。愛さんはどう？」

「私は『嫌なこと100個』を振り返っていろいろ考えてみて、自分が自由でいられないこと、我慢しなきゃいけないことに問題意識を持ってるんだと感じました。だから、ありのままの自分で自由にいられる社会にしたいのかなと……」

「うん、いい感じ！」と陽子が笑った。

「マイコンパスとは自分らしいキャリアを実現するための指針であり、『自分らしさ』『理想のライフスタイル』『つくりたい未来』の三つで構成されている、と説明したわね。そこで今日は、このマイコンパスを仮決定するという話をするわね」

美咲と愛は、手元に用意しておいたメモ帳に「マイコンパスを仮決定する」と書き込み、陽子の言葉を待った。

「これまで二人が考えてきた『自分らしさ』『理想のライフスタイル』『つくりたい未来』を統合して、マイコンパスを仮決定していくの」

「なんだか難しそう」

美咲が呟くと、陽子が笑った。

「つまりね、自分らしいキャリアを実現できている状態ってどんなだろうって。具体的には、読み返すたびにわくわくして、自分を奮い立たせるような言葉を一文にまとめるの。でもいきなり一文にまとめるのは難しいから、これまで考えてきたことを振り返って、まずは付箋に書き出してみるといいわ」

「なるほど」

愛が納得したように呟いた。

「今すぐ書き出さなくてもいいわ。ちょっと悩むところだから、時間があるときにやってみてほしいの。手順としては、まずはこれまでのワークで書いたことを読み返して、自分がなりたい姿ややりたいこと、理想のライフスタイル、叶えたい夢、つくりたい未来なんかをどんどん付箋に書き出してみるのね」

「どれくらい書き出せばいいんですか？」

美咲がメモを取りながら尋ねた。

「30～50個くらいかしら」

「わ、結構書き出すんですね。なんかまとまらなくなりそう」

愛もメモを取っている。

「書き出していくと似たようなものがたくさん出てくるから、それをグループごとに分けてまとめていくの。たとえば、自分／家族／仕事／趣味、とかね。グループごとに分けると、これとこれは同じだからいらないとか、これはそれほど重要ではないといったふうに、優先順位が見えてくると思うの。そこで、優先度が高くてわくわくする付箋をいくつか選んで、そこに書かれた言葉を組み合わせたり並べ替えたりしながら、自分らしいキャリアを実現している状態を一文にまとめていくの」

そして大切なのは、と陽子が付け加えた。

「ここでまとめるマイコンパスはあくまで『仮決定』だということ。これを生涯の指針だと考えると怖くて決められないでしょ？　だから仮。でも仮にでも決めることで行動できるようになるから」

「仮ってことは、あとから修正してもいいんですか？」

美咲がメモ帳から顔を上げて確認する。

「もちろん。行動しながら違和感を覚えたら修正するし、周りの状況も変わることがあるから、そしたらやっぱり調整するの。たとえば1年ごとに定期的なアップデートをするのもいいわね」

「うーん……一文にまとめられるかな」

愛が首をかしげた。

「たとえばこんな例があるわ。キャリア相談に来てくれた女性たちが書いた例なんだけど、参考になるかしら」

そう言うと、陽子の映っていた画面が切り替わった。

――私らしいスタイルで「好き」を継続する働き方を実践！　住まい・暮らしの楽しみ方を発信し、わくわくする未来につなげる。

――出会いや景色を慈しみながら山の稜線を一歩ずつ前に進めるように、着実で私らしいリーダー像を体現していく。

――知識と経験を磨き上げることで影響範囲を広げ、社会に貢献する。

――子育て中でもどこに住んでいても、自分らしくいきいきと好きなことを極め続け、明るい未来に貢献する。

「わぁ……どれも素敵ですね。なんだかキラキラしてる」

「ほんと、読むだけでわくわくしてきます！」

美咲と愛が笑顔で反応すると、陽子も満面の笑みで告げた。

「でしょ？　肩の力を抜いてトライしてみてね！」

YOKO's POINT

マイコンパスを仮決定する手順

①これまでのワークを振り返り、自分がなりたい姿・やりたいこと・理想のライフスタイル・叶えたい夢・つくりたい未来などを自由に付箋に書き出す(30 ～ 50個くらい)

②似たようなものがたくさん出てくるので、グループごとに分ける（グループ例：自分／家族／仕事／趣味…)

③グループごとに、優先度の高くてわくわくする付箋をいくつか選ぶ

④選んだものを自由に組み合わせたり並べ替えたりしながら、一文にまとめていく

column

マイコンパスを仮決定するためのヒント

マイコンパスを仮決定するのは少し難しいかもしれませんので、ここでヒントをお伝えします。

陽子が言うように、マイコンパスは「社会をこうしたい！」という壮大な指針でなくて大丈夫です。誰かの役に立ちたいとか、自分の身の回りの人にこうしたい。あるいは自分が成長したい、常に新しい経験をしたいなど、どんなことでもＯＫです。

マイコンパスは、すでにある言葉を採用したり誰かほかの人に決めてもらうようなものではなく、自分で考えることに意味があります。そして、いったん仮に決めることで、初めてそれがしっくりくるかこないかがわかってくるので、決められないと感じても、まずは一度まとめてみましょう。仮決定ですから、しっくりこないな、なんか違うなと思ったら、軌道修正していけば大丈夫です。「これでいいのかな？」と考えすぎず、まずは仮で決めてしまう。いったん言葉にしてみる、ということが大切です。

そしてマイコンパスを仮決定したら、口に出してみたり、書き出して見えるところに貼ってみたり、あるいはいつも持ち歩いている手帳に挟んでみたりすると、次第に自分のものになっていきます。いつも頭のなかに置いておく、見るようにする、という状態にしておくとベストです。


また、最初から一つに絞る必要はありません。実際、絞ろうとしても難しいでしょう。そういう場合は、最初に数個出してみましょう。そして出したものを統合していく、どれかを選ぶ、といった作業を繰り返しながら形づくっていくのもいいでしょう。

それでもマイコンパスがなかなか決められなかったら、これまで自分が書き綴ってきたことを見直して、頻繁に出てくる言葉やフレーズはないか確認してみてください。そこで見つけた言葉は、自分が大切にする事柄や思いだったりする場合が多いので、そこから考えるのもいいでしょう。

あるいは、人と話をしているときに、よく自分が使っている言葉はありませんか？それも手がかりになることがあります。ですから、友人や知人、キャリアコンサルタントの力を借りることも有効です。

自分にとっては大したことはないと思うような経験や視点であっても、それが自分の価値観、マイコンパスの要素になることがあります。

これらをヒントに、ぜひ自分オリジナルのマイコンパスをつくってみてください。

message

さて、美咲と愛、そして陽子の三人は、会わない間にどのようなメッセージをやりとりしているのでしょうか。彼女たちのメッセージから、状況や心境の変化を感じてみましょう。

美咲

おはようございます。昨日のオンラインミーティングは新鮮な体験でした。

会って話すのとほとんど変わらなかったし、便利ですね！

夜にパソコンの前で楽しそうに話す私の姿を見て、夫もビックリしてました。

陽子

便利でしょ！仕事に、子育てに、忙しいからこそ、ウェブもうまく活用して時間を有効活用していきましょ^^

美咲

そうですね！
楽しすぎたせいか、じつはあの後なかなか眠れませんでした。笑

昨日もありがとうございました！

愛

上司との面談で挑戦したい！と伝えたこともよかったみたいで。
あの日、嫌なことを書き出さなければ、面談でそんな話をすることもなかっただろうし、偶然続きでビックリです。

陽子

偶然続きとは！面白くなってきましたね(^_-)-☆

愛

激務が予想されますが、やるしかない！楽しむしかない！と思って突き進みます！

陽子

さすが愛さん！！これからがますます楽しみですね！

数日後

愛

陽子さん、こんにちは！

じつは、本日内示を受けまして、来月から国際展示会に向けた社内特別プロジェクトへの異動が決まりました！！！

陽子

おお、なんと！！！

愛

そうなんです。まさかこのタイミングで異動になるとは、、、私もビックリです！
今回の異動で、停滞感・マンネリ感は確実に打破できそうではあるのですがw
転職した気持ちでやるしかないです！

陽子

ですね！それにしてもすごいタイミングでの大抜擢！

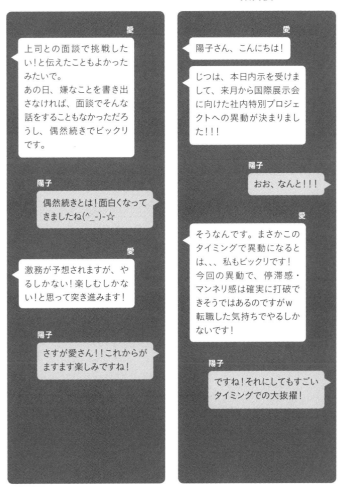

第3章
自走できる自分になる方法

Life Career

変わり始めるとき

美咲と則子は、今日も大型ショッピングモールに子どもたちを連れて遊びにきていた。

「美咲、もしかして最近何かいいことあった？」

則子が美咲の顔を覗き込んで尋ねた。

「なんで？　仕事も今までどおりだし、特に何も変わってないけど」

美咲は笑いながら背もたれに寄りかかった。

「ふーん、なんか楽しそうな雰囲気だし、前より晴れやかな表情してる。こないだ会ったときは、ちょっと疲れた感じしてたから」

「たしかにこの前会ったときは疲れてたかも。疲れてたというか、モヤモヤしてたというか」

美咲は思い出すように上に向けていた視線を則子に戻して付け加えた。

「そうそう、そういえばね。最近キャリアコンサルタントの人に定期的に会ってるの」

「キャリアコンサルタント？　美咲、転職するの？」

「ううん、今はそこまで考えてないけど」

「じゃあなんで？　キャリアコンサルタントって転職を手伝ってくれる人じゃないの？」

「そうとも限らないらしいのよ。その人によると、キャリアって生き方そのものを指すんだって。つまり仕事だけじゃなくて、子育てすることも、学ぶことも、すべてキャリアなんだって」

「え、そうなの？　キャリアっていえば仕事のことだけを指すんだと思ってた。その人にそういうことを教わってるの？」

則子が意外だという顔をした。

「うーん、教えてもらってるというか……私が自分らしいキャリアを歩めるように力を貸してもらってるって感じかな。考え方を教えてもらって、自分で考えて納得していく、みたいな。ほら、自分のことは結局、自分自身で変えていくしかないからさ」

「まぁね。たしかにそうだけど」

「そのせいか、今は前ほどモヤモヤすることもないし、私がイライラしなくなったせいか、旦那さんも優しくなった気がする」

「へー、そうなんだ。それはちょっと羨ましいかも」

「ま、何事も自分次第だからね。上司や旦那さんにイライラしたり、誰かのせいにしても仕方ないじゃない？」

「うわ、美咲、やっぱこないだとは別人みたい」

「えー、そうかな？」

美咲は息子を抱きかかえながら笑った。

＊＊＊

「愛、来年の国際展示会のプロジェクトチームのメンバーに抜擢されたんだって？」

同僚の有紀が、オフィスの休憩室にいる愛に気づき、うれしそうに声をかけてきた。

「うん、そうなの。抜擢っていうか、ただの異動だけどね」

そう言うと、愛はコーヒーを一口飲んだ。

「そんなことないよ、あのプロジェクトに関われるなんてすごいよ。まさに大抜擢、さすがだね。そういえば、面談で新しいことに挑戦したいと話したって言ってたもんね。やっぱそれが効いた感じ？」

「そうね、それもあるかも。なんかここのところ停滞気味だったから、思い切って話してみてよかった」

「新しいプロジェクトには来週着任だっけ？　忙しくなりそうだね、がんばって」

有紀は小さくガッツポーズをしてみせた。

「ありがとう。うん、確実に今より忙しくなるだろうなぁ。でも楽しみ。とにかく、この1年間は全力でがんばろうって思ってる」

愛がほほえむと、有紀は「おぉ」と驚いてみせた。

「愛、最近なんか変わったよね。なんかキラキラしてる」

「そうかなぁ。ちょっとマンネリ気味だったから、新しい仕事が純粋に楽しみで」

「ここで優雅にコーヒー飲んでる暇なんてなくなっちゃうかもね」

「そんなことないよ。ただ、いつか子どもも欲しいし、だからこそ今はがんばりどきかなって思うんだよね」

愛は窓の外に目を向けた。

「すっかり吹っ切れた感じね」

「ま、不満たらたらで仕事しても疲れるだけだしね。停滞期も十分味わい尽くしたし。ひとまず、新しいプロジェクト、気合入れてがんばるわ！」

愛は有紀に視線を戻して笑った。

「そういえば最近、キャリアなんとかっていう女性と話したとか言ってたよね」

「うん、キャリアコンサルタントの方。たまたまご縁があって、定期的にお会いしてるの」

「もしかして、愛のポジティブオーラはそのせいとか？」

有紀が愛の顔を探るように見た。

「え、私そんなオーラ出てる？　でもその人ね、なんかカッコいいの。もともとは私たちみたいに会社勤めだったらしいんだけど、出産して、キャリアに悩んだ結果、自分の使命みたいなものを感じて独立したんだって」

愛の憧れるような表情を見て、有紀は探りを入れる。

「愛、もしかして、その人みたいに独立しようとか考えてる？」

「ううん、さすがにそこまでは考えていないけど、あんな生き方もあるんだなぁって。今の会社にいるからこそできる仕事もあるけど、もっと広い意味で自分が担える役割って何だろうって考えるようになったかな」

「えー、ちょっと待ってよ。なんだか愛が遠い人になっちゃいそう。なんか焦ってきた。私もその人とお話ししたくなってきた……」

休憩室にほかの社員たちが入ってきたので、愛と有紀はそれぞれのカップを手に自分のデスクに戻っていった。

軽やかに行動する

すっかり行きつけとなったカフェテラスに、今日も美咲と愛、そして陽子が集まっていた。

「だいぶ涼しくなってきたわね」

陽子が中庭を見ながら言う。

「そうですね。外でお茶できる季節ももうすぐ終わりかぁ」

愛も少し感傷的な気分で中庭を眺めた。

「季節の移り変わりって年々早くなっているように感じる。特に秋は、年末が近づく感じがしてなんだかソワソワします」

美咲が胸に手を当てて続ける。

「そういえば最近、『何かいいことあった?』って言われることが増えたんですよね」

美咲がカフェラテの入ったカップを持ち上げながら言った。

「私も最近同じようなことを言われました。っていうか、私自身でもそう感じます」

愛もロイヤルミルクティーの入ったカップを手にした。

「それは何よりね。転職したわけでも家族に変化があったわけでもないのに、不思議でしょ。レッスンの効果と言いたいところだけど、二人がこれまで自分の本当の気持ちに向き合ったり、そのことで物事の捉え方や考え方が変わったりしたことで、周りに気づかれるくらいに変わり始めているのよ」

陽子もコーヒーの入ったカップを持ち上げて口につけた。

「たしかに、仕事も何も変わってないのに、でも確実に変化してる。すごく不思議な感覚です」

そう言いながら、美咲はカップに口をつけた。

「でもこれまでいろんなワークを通して、普段あまり考えないようなことばかり考えてきたから、少し疲れたりしなかった？」

陽子は二人を交互に見ながら尋ねた。

「うーん、そうでもないです。たしかにワークの直後とかは少し疲れたりもしましたけど、でも全体的には元気が出てきた感じがします」

愛が言うと、「モヤモヤが晴れてきた気がします」と美咲も続けた。

「これまで話してきたことや取り組んでもらったワークは、自分のことを改めて理解して、それぞれの理想のキャリアについて考えるきっかけづくりだったの」

そう言って陽子はカップを置いた。

「今までは、自分の理想なんて全然考える余裕もなかったけれど、少しずつ自分のやりたいことや目指したい姿が見えてきた気がします」

と愛が言うと、陽子は頷く。

「いきなり『これだ！』って見つけて行動できる人もいるけど、多くの人は、『こっちかな？　いやあっちかな？』と少しずつ方向が見えてくるの。そんなふうに軌道修正しながら、実際に行動してみることも大切。行動するのも軌道修正しながらで構わないのよ。そして、このレッスンのゴールは、自走できるようになることだから」

「自走？……そういえばレッスンの最初の頃に聞いたような」

美咲が尋ねた。

「そう、自走。私のキャリアコンサルティングのゴールは、最初にも話したけど、みんなが自分のマイコンパスを決めて、その示す方向に向かって自分の力で進めるようになること、つまり自走できることなの」

自走かぁ、と愛は腕を組み、美咲は顎に指を当てた。

「そんなに難しいことじゃないのよ。たとえば会社員時代の私だったら、女性のキャリア支援に関わりたいと思うようになって、それに関連した本や記事を読んで情報収集を始めたり、実際に自分がキャリア支援を受けてみたり。とにかく、小さなことで構わないから、行動することが大事なの」

「そうですよね、行動しないことには何も始まらないし」

腕を組んだまま愛は頷く。

自分に合う行動の進め方

「でもね、一つ大事なことがあって。行動でしか現実を変えられないとはいえ、いきなり行動するというのがじつは危険な場合もあるの」

「どういうことですか？」

「新しいことを学んだり体験したりする際に、まずは**自分に合った学習スタイルを知って、そのスタイルで進めていくことがとても重要**なの。そのほうが効果的だしね。主に二つのタイプがあって、**『面白そう！ やってみたい！』と思ってすぐに行動に移す『体験型』**。それから、**全体像を把握した上で順序立てて進めていく『積み上げ型』**ね」

美咲も愛も神妙な表情で聞いている。

「**『体験型』**の人は、ざっくりとした理解で動けるし、行動を進めるなかで、できた／できなかった、とさまざまな体験をしながら概念を見いだしていくことができる。

つまり、**動きながら考える、体験しながら学習を進めていくというタイプ**ね。だからこういうタイプの人は、すぐに行動するのが合ってるわ」

「あ、私はたぶんそのタイプです。全体像がつかめていなくても、面白そう！と思ったらすぐ行動しちゃう」

愛が自分の顔を指差した。

「一方で『**積み上げ型**』の人は、細かく理解してから行動するほうが動きやすいの。一つの体験を次の体験へと昇華させていくわけ。つまり**考えて動く、深めることで体系化し学習を進めていくタイプ**。このタイプの人は、とりあえず行動することは逆にストレスになってしまうし、積み上げながら体系化していくという強みが活かせないのよね」

「それ、すごくわかります。私は積み上げ型だと思います。とりあえず行動するのはなんだか怖くて、全体を把握した上で行動したいと思うほうかな」

今度は美咲が自分を指差した。

「どちらが良い、悪いということではないの。でもより効果を上げるためにも、自分に合った学習スタイルを知っておくことはとても大事だわ。覚えておいてね」

マイコンパスと組織のビジョン

美咲と愛が「体験型」と「積み上げ型」の違いを理解したらしいところを見計らって、陽子が次の話題に入った。

「これまでは自分がどうか？という視点でマイコンパスを考えてきたけれど、自分以外の誰かとどう関係していくか、という視点も大事よ」

「自分以外との関係ですか？」

愛が不思議そうな顔をした。

「自分が実現したいこと、つまり**マイコンパスと、所属している会社や組織のビジョンの重なりを意識する**ことも大事なの。合致するところがあれば貢献できることもあるし、自分も得られるものがあるでしょ。それは自分にとっても会社にとっても意味があることよね。収入を得ることももちろん大事だけど、**ビジョンが重ならない場所で仕事を続けても、自分が決めたマイコンパスが叶うことはない**から」

「で、もしも、マイコンパスと組織のビジョンが重ならなかったら？」

美咲の突っ込みに、愛も「そこです」と腕を組む。

「もし会社のビジョンと自分の実現したいことがマッチしていないと感じるのであれば、社内で他の部署への異動の余地がないかを探ったり、実現したいことに合致する会社への転職を考える必要があるかもしれない。ただ、会社のビジョンとマイコンパスの重なりについては、自分だけの視点で合わないと結論づけてしまう前に、**客観的な意見を聞きながら考えるのも大事**なの。そういうのは、私のようなキャリアコンサルタントが得意な領域だから、ぜひ活用してね」

自分の思いを発信する

陽子はコーヒーを飲みかけたが、カップを戻した。

「あとね、行動といえば、『発信する』こともすごく大事。自分の思いを言語化して発信することはとてもパワフルな行動なの」

美咲と愛は黙って聞いている。

「まず、**自分の考えていることを言語化することで思考を整理できる**でしょ。そして、それを発信することで、**必要な情報が集まったり、共感し合える仲間に出会えたりするの**」

「でも、発信するってどうすればいいんですか?」

美咲が尋ねた。

「二人とも、もしかしたらすでにやってるかも」

美咲と愛はきょとんとしている。

「たとえば、**ツイッターやインスタグラム、フェイスブックのようなSNS**。あとは**ブログ**で発信することができるわね。今の時代は、気軽に発信できる手段がたくさんあるし、発信することで得られるメリットはとても大きいわ。だからまずはインターネット上に自分を存在させることから始めてほしいの。二人は何かやってる?」

「ツイッターならやってます。最近あまり活用できてないですが」

「私はたまにインスタグラムに写真アップしてます。食べた物の記録みたいになってますけど」

美咲と愛が恥ずかしそうに答えた。

「うん、いいわね。せっかくすでに発信の手段を持っているんだから、ぜひ活用してね。発信も立派な行動だから。それから、発信の方法はほかにもあって」

美咲と愛は「何だろう？」と考えた。二人から答えが出ないことを確認すると、陽子が続けた。

「**職場の上司・同僚とか身近な人に、自分のやりたいことや考えていることを伝えることも立派な発信**よ。ほら、愛さんが新しいプロジェクトのメンバーに起用されたことも、面談で上司に自分の思いを伝えたことがきっかけでしょ？」

「そっか、そうですね！」

はっとする愛を見て、美咲も大きく頷いた。

column

自分に合う学習スタイル

これまでいくつかのワークを進めながら自分についての理解を深めてきましたが、自分らしさを知るために客観的なデータを活用する方法もあります。

私は普段のキャリアコンサルティングの場面で、FFS理論（「Five Factors & Stress」理論、開発者・小林惠智博士）を活用しています。※

FFS理論は、人間の特性を五つの因子として「凝縮性」「受容性」「弁別性」「拡散性」「保全性」に整理し、これらの因子の多寡とその順番によって、その人の個性を理解するというものです。「拡散性」や「保全性」は気質（先天的）に起因し、残る三つは社会的（後天的）な影響が大きいと考えられています。特に学習スタイルには、気質に起因する「拡散性」と「保全性」が影響します。

また、学習スタイルには『体験型』と『積み上げ型』の2パターンがあるため、新しいことを始めるときや、新しいことを学び始める際には、自分に合う学習スタイルで進めることが大切です。

あなたの学習スタイル：チェックシート

それぞれのシーンであなたの行動に近いものはAとBのどちらですか？
当てはまるほうにチェックをつけてください。

シーン	A	B
新しい分野の仕事を始めるとき	ざっくりとした理解で着手する □	全体像をつかんだ上で着手する □
依頼された仕事を進めるとき	自分のやり方で自由に進めたい □	確認しながら進めたい □
行く予定の店に行列があったとき	別の店に行く □	行列に並ぶ □
旅行をするとき	興味の向くままに楽しむ □	事前にスケジュールを決めておく □
本を読むとき	興味のあるところから読む □	最初のページから順番どおりに読む □

※この設問はFFS理論をベースにして筆者が作成したものです。
FFS理論の設問ではありません。

Aのチェック数	Bのチェック数

⇨ Aのチェック数が多かった方は『**体験型**』、
Bが多かった方は『**積み上げ型**』

『体験型』スタイルの場合、興味があるものに対してすぐに行動することが合っており、行動しながら学習を進めます。「面白そう！　やってみたい！」と感じたら、とりあえず行動に移し、先行き不透明な状況でも力を発揮することができます。一方で、細かい進め方を指定されると窮屈に感じたり、興味が持てなくなるとすぐに飽きてしまったりします。

一方、『積み上げ型』スタイルの場合は、全体を理解した上で順序立てて行動することが合っています。学習を丁寧に進めたいタイプで、全体像を理解した上でプロセスを踏みながら、着実に、確実に行動を進めます。一方で、明確な指針がない、先が見えない状況は逆にストレスの要因となります。

どちらのスタイルが良い・悪いということではなく、自分のスタイルを理解した上で、自分に合う行動スタイルで進めることが大切です。

昨今は、働き方も時代も大きく変わろうとしている流れのなかで、「とりあえず行動しよう」といったメッセージを目にすることが増えたように感じますが、一歩を踏み出すのが怖くて新しいことに挑戦できない場合、自分に合わない方法で無理をしているのかもしれません。「行動する」といっても、その進め方によっては大きなストレスになってしまったり、本来の力が発揮しにくかったりする場合もあります。

ぜひ、自分に合った方法を意識しながら進めていきましょう。

※FFS理論の使用権を有する株式会社ヒューマンロジック研究所と株式会社MYコンパスは、パートナー契約を結んでいます。

偶然の力と「こじじゅらぼー」

半月後――。

美咲と愛、そして陽子の三人は、いつものカフェに集まっていたが、今日はウッドデッキのテラスではなく、室内のテーブルにいた。

雨が降っており、少し肌寒いためだ。

「でも、こうして雨の降る中庭を、店内から眺めるのも風情があっていいですね」

窓から見える雨の中庭を見ながら愛が呟いた。

「そうね。私も雨に濡れるのは嫌いだけど、景色を見るのは嫌いではないわ」

陽子も窓のほうを眺めた。

「今まで店内で過ごしたことがなかったので気づかなかったんですけど、このお店って夜はお酒も飲めるんですね」

美咲がカウンターの奥の棚に並べられたボトルを指差すと、愛も振り返ってカウンターの奥を覗き込んだ。

「ほんとだ、私も全然気づいていなかった」

「あら、ほんとね。何度も来ているお店なのに、雨が降らなければ気づかなかったわ」

陽子も珍しく意外そうな顔をして、カウンターのほうに目を向けた。

「やっぱり『偶然』って大事ね。私たちのキャリアにおいても、偶然の力を活用しようっていう考え方があるのよ」

「偶然を？　キャリアって、しっかり計画を立てて努力して切り拓いていくものだっていうイメージなんですけど」

美咲が陽子の話に興味を示す。

「偶然を活用するって、私、運がいいから得意かも！」

愛も興味を示した。

「偶然を活用するって発想が面白いでしょ？　でもこれね、有名なキャリア理論なの。スタンフォード大学の教授を務めたジョン・D・クランボルツという人が提唱した『プランドハプンスタンスセオリー（Planned Happenstance Theory）』という理論があって、日本では『計画された偶発性理論』と訳されているわ」

「偶発性が、計画される？」

美咲も愛も困惑の表情を見せる。

「今のように変化が激しい世の中では、いくら綿密に計画してもそのとおりにいくとは限らないし、予想外の出来事をきっかけに思ってもいない方向でうまくいくってこともあるでしょう。キャリアの多くは偶然の出来事で形成される、というのがこの理論の主張なの」

「たしかに、今の会社に就職することになったのも、偶然の出来事がきっかけだったかも。陽子さんとも、たまたま新幹線で隣の席に座って、パソコンの充電が切れそうにならなければ話すこともなかったし、これからのキャリアについてこんなに真剣に考えることもなかった。あのとき出会わなかったら……今回の異動もなかっただろうし。そう考えると偶然の連続ですね」

愛は自分の言葉に頷いた。

「でしょ。だから、偶然の出来事の影響を無視したり、過小評価したりするのではなく、**偶然を利用するのはもちろん、積極的に偶然を生み出して活用していく**といいの」

「それ、すごく興味あります」

美咲と愛が前のめりになる。

「それでね、偶然の出来事を味方にしてチャンスとして活用するためには、五つの行動指針があると『プランドハプンスタンスセオリー』では言われているの」

陽子は、その5箇条が表示されたスマートフォンの画面を二人に見せた。

そこには次のように書かれていた。

- **好奇心（Curiosity）…絶えず新しい学びの機会を模索し続けること**
- **持続性（Persistence）…失敗に屈せず、努力し続けること**
- **柔軟性（Flexibility）…こだわりを捨てて、態度や行動を変えること**
- **楽観性（Optimism）…新しい機会は必ずやってきて、それを自分のものにすることができるとポジティブに捉えること**
- **冒険心（Risk-taking）…結果が不確実でも、リスクを取って行動を起こすこと**

「私はこれらの頭文字をとって、『**こじじゅらぼー**』って言ってるのよ。陽気で可愛い響きでしょ。**偶然をただ待つだけじゃなくて、自分からつくり出せるように積極的**

に行動したり、身の回りで起きた出来事に対しても『この出来事にはどんな意味があるのだろう』と考えたりするのの」

「そうすれば、偶然の出来事を活用できるってことですね！」

愛が腑に落ちたという表情をする。

「そう。『こじじゅらぼー』を意識して過ごしていると、偶然の出来事に直面したときにも見逃さないし、チャンスに変えることができる」

「偶然を活かすって考えたこともなかったけど、なんだか楽しそう」

美咲も新たな発見を喜んだ。

「マイコンパスもひとまずは仮決定、行動するなかで軌道修正していくと言っているのは、偶然の出来事に柔軟に対応していくためという意味もあるのよ」

「あ、なんかつながってきた！」

愛がはしゃぎ気味に言う。

「これからは『こじじゅらぼー』を意識して過ごしてみてね」

生涯活用できる最強の思考法

レッスンの最終日。前回集まったときと打って変わり、中庭には燦々と陽射しが注がれている。すでに肌寒い季節になってきているが気持ちのいい快晴で、三人はいつものカフェテラスのテーブルにいた。

「美咲さんも愛さんも、いろいろと変化があったと思うけど」

陽子が問いかけた。

「こんなに自分のことやキャリアについて考えたのは初めてでした」

美咲がすっきりとした笑顔で答えた。

「マンネリを感じていたのが嘘みたいに、今は毎日が充実していて楽しいです」

愛も爽やかに笑った。

「二人とも、初めて会った頃に比べればすごく表情が明るくなったわね。ところで、最初のワークで書いたことを覚えてる？　嫌なことを１００個書き出すというワークだったけど」

「もちろん、覚えてます」

美咲と愛が同時に答えた。

「あのときに書き出したことを今読み返してみて、どう感じる？」

「あんなに嫌だと思っていたことでも、今見返すとどうでもいいと感じることが結構多くあります。たとえば誰かの悪口を聞かされても、今では自分らしさに気づかせてくれてありがとう、と思えるようになったし。自分でコントロールできないことにイライラしたり、無理に変えようと思うことも少なくなりました。毎日があんなに嫌なことに覆い尽くされていたはずなのに、今はそうでもない。不思議な感覚です」

美咲が答えると、愛も続けて答えた。

「私も。あの頃は、会社で何をしたらいいかわからないことが嫌だと感じていたみたいで。まさか異動して、新しいプロジェクトに参画して楽しく仕事してるなんて思ってもいなかったです」

「素晴らしいわ。もちろん、今だって嫌なことはあると思うし、すべての嫌なことをなくすのは難しいかもしれないけれど、変わったこと、嫌でなくなったこと、自分ができるようになったことに意識的に目を向けてほしいの」

美咲と愛は黙って聞いている。

「嫌なこと100個のワークに限らずなんだけど、ついできなかったことばかりに目が向いて、落ち込んでしまうことも多いと思うのね。だから、**意識的にできたことにフォーカスして、できたことを確認しながら進めてみる**の。そうすることで、**自分自身で歩みを進めている実感が持てるようになるし、自分らしいキャリアに近づいていると感じられる**ようになるわ」

「できたことにフォーカスする……やってみます！」

「なんだかそれだけで自信が持てそうですね」

美咲と愛の言葉を聞くと、陽子はにっこりと笑って続けた。

「二人とも力強い返事、頼もしいわ」

陽子はほっとしたように、コーヒーを一口飲んだ。

「そしたら、これで安心してレッスンを終えることができそうね」

「でも、今日で最後だなんて寂しいです。これから一人で大丈夫かなぁ」

美咲が少し不安そうな表情で言った。

「私も二人とお話しするのは本当に楽しかったわ。寂しいけれど、自走することがゴールだって話したでしょ。美咲さんも愛さんも、レッスンを始める前に比べれば確実に変わっているから」

「だといいんですけど……」

「大丈夫。だって二人はもう『マイコンパス思考』を手に入れたから。この先、また悩むことや迷うことがあったときには、レッスンで伝えてきた考え方で進めていけば心配はないわ」

「えー、私、この先もまた悩むんですか？」

「それはそうよ！　人生100年時代、ずっと悩まずに生きていくなんて無理に決まってる。これから二人が歳を重ねていけば、また違う転機に直面することもあるだろうし、モヤモヤしてしまうこともあると思う。でも、それを乗り越えていくための『マイコンパス思考』だから。レッスンを通じて、二人はこの先も生涯ずっと活用できる最強の思考法を体得したの。だから大丈夫！」

陽子は笑顔で力強く言った。

「それでは最後に、二人が決めたマイコンパスを宣言してもらって、レッスンを終わりにしましょう。なんだか卒業式みたいね。では美咲さんから」

「ええと……私は、このレッスンを通じて、他人に対して前向きなメッセージを発信できる人になりたい、そして自分に向けても『ありのままの自分でいいんだよ』と安心できるメッセージを発信したい、と思うようになりました。みんなが安心して生活を送れるようになれば、心身ともに健康になると思います。その土台がしっかりしていれば、誰でもどんなチャレンジだってできるし、周りの目を気にせずやりたいことに邁進できるはずで……そんな世の中になったらなんて素晴らしいんだろうって。そんな思いを込めて、私のマイコンパスはこれです。**『すべての人がありのままの自分でいられる、笑顔と信頼に満ちた愛の世界の実現』**」

声を詰まらせながら懸命に話す美咲に、陽子は拍手を贈る。

「とっても素敵ね！　美咲さんらしいわ。何よりもマイコンパスに美咲さん自身がわくわくしていることが一番で、それがよく感じられて。私もうれしいわ。では愛さん」

「私は、仕事にマンネリを感じていた頃を振り返ると、新しいことに挑戦できない状態がすごくストレスだったんです。だから今は、新しいプロジェクトの仕事がすごく楽しくて。そんな気づきと、今の仕事や、今後のマーケティングの仕事でも、どうしたらお客さまがストレスフリーな気持ちでいられるか、どんなストレスから解放されたいと思っているのか、という視点を持っていたい。そんな思いを込めて、これでいきます！**『心も体も、ストレスフリーに自然体で生きられる社会にする』**」

「うん、素晴らしいわ。愛さんの今の表情、本当に晴れやかで自然体ね。私まで笑顔になる。新しいプロジェクトも思いっ切り楽しんでね！」

「美咲さん、愛さん、卒業おめでとう。これからの活躍をずっと応援しています」

「これから自分らしいキャリアを楽しみながら進んでいけそうです。陽子さんに出会えてほんとによかった。陽子さん、ありがとうございました！」

美咲と愛の頬を、爽やかな風が撫でていった。

ワーク⑥ **〈マイコンパス宣言！〉**

最後のワークは〈マイコンパス宣言！〉です。みなさんが仮決定したマイコンパスを書いてみましょう。また、ワークの総集編ということで、マイコンパスを発信してみましょう。インスタグラムまたはツイッターで、ハッシュタグ「#最強のライフキャリア論」を付けて、ぜひ本の感想とともに、みなさんのマイコンパスを発信してみてください。

マイコンパス宣言！

message

いよいよ最後のワークを終えた三人は、その後どのようなメッセージをやりとりしているのでしょうか。彼女たちのメッセージから、状況や心境の変化を感じてみましょう。

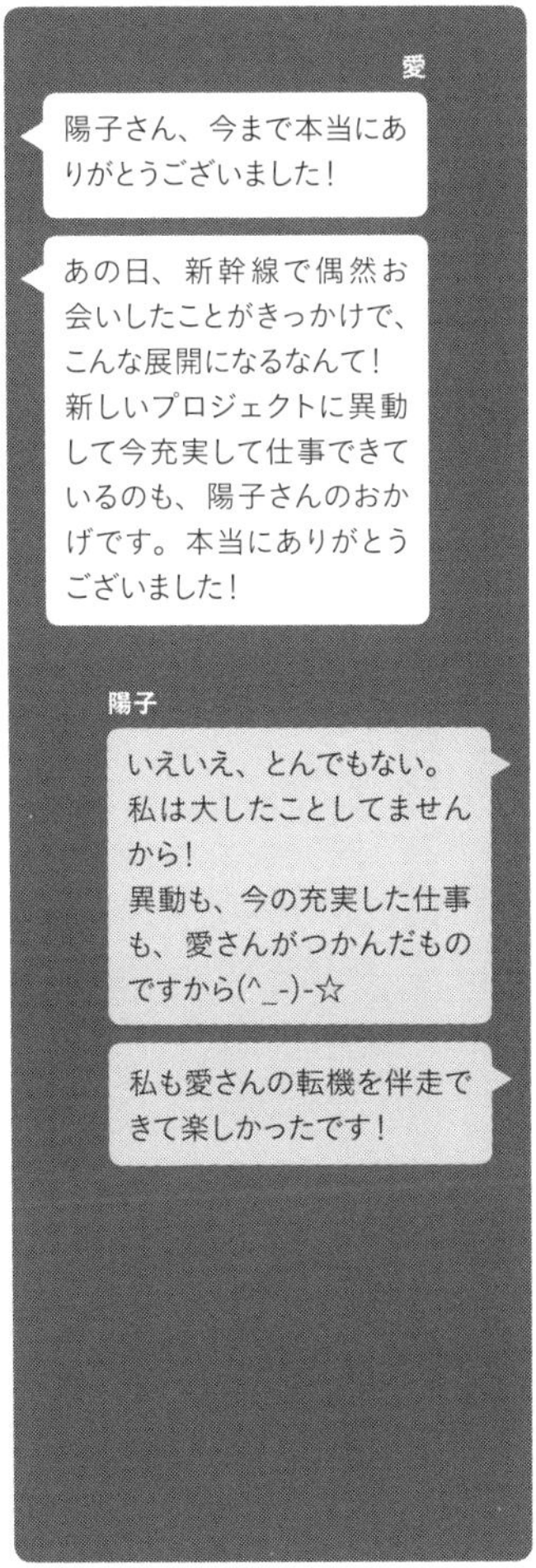

愛
陽子さん、今まで本当にありがとうございました！
あの日、新幹線で偶然お会いしたことがきっかけで、こんな展開になるなんて！
新しいプロジェクトに異動して今充実して仕事できているのも、陽子さんのおかげです。本当にありがとうございました！
陽子
いえいえ、とんでもない。
私は大したことしてませんから！
異動も、今の充実した仕事も、愛さんがつかんだものですから(^_-)-☆
私も愛さんの転機を伴走できて楽しかったです！

愛

期間限定のプロジェクトでもあるので、今は目の前の仕事に全力で取り組みます!!

陽子

すごい!愛さんの意気込みを感じる!

愛

じつは来週大切なプレゼンも控えているので、、、そちらもがんばります!

陽子

おお!そうなんですね!がんばって〜(^^)

これからの活躍も応援してます!!

愛

子どもをいつ産もう???という悩みが消えたわけではありませんが、陽子さんや美咲さんと出会えたことで、子育てしながら働くイメージもかなり鮮明に持てるようになった気がします。

今まで、妊娠したら仕事はもうできないと思っていたので。

“自分に誇りを持てる仕事をしながら、子育ても楽しんでいる私”という未来の自分の姿はイメージできているので。きっといろいろうまくいく気がしています。

陽子

さすが愛さん!

もちろん、考えておいたほうがいいことや具体的に準備しておいたほうがいいこともあるけど、イメージを持てるようになったのは大きな変化!

陽子

お、いいですね！美咲さんらしい挑戦！

楽しみですね！！

美咲

はい、ただのランチ会ではあるのですが、上司にも承認を得て、実施することになったので、私にとっては大きな挑戦でもあるんです。

陽子

うまくいくといいですね！

美咲

はい！来週、初回ランチ会を開催する予定でドキドキしてますが、楽しみたいと思います^^

3日後

美咲

先日はありがとうございました！

陽子さんのレッスンが終わってしまって寂しいです。。。

ですが、寂しがってる場合じゃないなと、社内であることに挑戦してみることにしました！

陽子

そうなんですね！！

どんなことに挑戦するんですか？

美咲

大したことではないのですが、レッスンを通じてマイコンパスを決めたことで、まずは、社内でママ・パパランチ会を主催してみようと思うようになったんです。

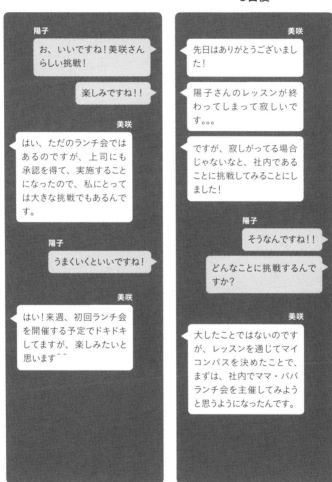

エピローグ

東京、丸の内――。

オフィスビル街の一角に、昼休みの会社員たちで賑わうイタリアンレストランがある。その店の奥には、ちょっとした打ち合わせやパーティーに使える個室があり、今日も10名のグループがランチ会に利用していた。

「それではみなさん。これから今月のランチ会を始めます。家でも会社でも忙しくしているみなさんかと思いますが、この時間をぜひ存分にご活用ください」

会を取り仕切っているのは美咲だった。

このランチ会は、同じ会社内で子育て中の社員たちから成る有志メンバーが月に一度集まり、情報交換や悩み事を共有したり、お互いにアドバイスや交流などを行うことを目的にした集まりだ。そしてゆくゆくは、会社への要望などの提案も積極的に働きかけていけたら、と美咲は考えていた。

参加者は女性だけではない。子育て中の男性も参加しており、この日は4名がテーブルに着いていた。

特に男性たちから、「この会に参加して、社内に同じように子育てに奮闘しているパパ友ができたのもよかったたし、新しい社内人脈が増えて仕事にも役立つ」という感想を持たれたことは、思わぬ効果だった。将来、このランチ会の参加者が、子育て中の社員に対して深い理解を示せる管理職になれば、この会社は変わっていくだろうなぁ、と美咲は思っている。

「美咲さんが声をかけてくれたおかげで、保育園のお迎えで定時に帰ることや、子どもの病気で急に休まなければならないことで引け目を感じていたのが私だけじゃないってわかりました」

参加者の女性社員が言うと、

「そうそう。勤務時間中は忙しすぎて子育ての話なんかできないし、まして部署が違うと会うことも難しいじゃないですか。だからこのランチ会は励みになりますよね。この会がなければお話しできなかった人たちに会えましたたし」

と、別の女性社員が強く同意した。

「それに、子育ての大変さだけじゃなくて、楽しさや子どもの可愛さを安心して話せる場なんて、社内にはないですからね」

「そうそう」

皆、食事をしながら笑ったり頷いたりしている。

――思い切ってランチ会を立ち上げてよかった。


美咲は、陽子と会うようになってから、自分には後輩たちのよき相談相手になれる資質があると自覚し、同じような悩みを持つ社員たちのサポートができないだろうかと考えるようになっていた。

そこで、第一歩として始めたのがこのランチ会だった。

果たして参加者はいるだろうか？と不安もあったが、準備を進めてきた。

まずは、イントラの掲示板を利用して参加者を呼びかけることを上司に相談すると、拍子抜けするほど簡単に承認された。そして実際に参加者を募ると、思いの外すぐに参加希望者たちの反応があったので驚いた。

――やっぱりみんな、悩んでいたのね。発信は大切だわ！

実際にランチ会が実現すると、誰よりも美咲自身が励まされ、楽しんでいた。

そして今、美咲はこの活動を手始めに、もっといろいろとできそうだ、という手応えも感じ始めていた。

＊　＊　＊

愛は社内の会議室でプロジェクターが映し出したスライドを示しながら、国際展示会のプロジェクトメンバーに向けて説明を終えた。

「これがシステム発注の最終確認になりますが、この方法で私たちのブースに来場された方々の情報を取得できれば、イベント終了後も関係性を保ち続けることができます。不明点や問題点はありますか？」

愛がメンバーの表情を確認すると、全員が納得しているという手応えを感じた。

プロジェクトに参加して以来、愛の忙しさは想像していた以上になった。

しかし、このプロジェクトに全力で取り組もうと腹をくってからは、その忙しさも苦にはならない。しかも、プロジェクトでは愛のアイデアが採用されたため、そのままリーダーとしての役割も担うことになった。

そのことを夫に話すと、思っていた以上に喜んでくれた。

「愛、すごいじゃないか」

ますます忙しくなった愛に夫はとても協力的になり、家事も積極的に分担してくれるようになった。

「だって、愛もこれまでになく楽しそうだしね。僕もできるだけのことは協力するから、プロジェクト、必ず成功させろよ」

メンバー間の関係も良好で、皆、積極的に動いてくれている。

——思いを発信したことで、仕事もどんどん楽しくなってきた！

打ち合わせから席に戻る途中、上司が廊下で手招きしていた。

上司の元に行くと、機嫌よさそうに声をかけてきた。

「なかなかうまくいっているようじゃないか」

「おかげさまで、チームメンバーにも恵まれて順調に進んでいます」

するると上司は急に小声になり、付け加えた。

「おそらくだが、プロジェクトが終わったら昇格も狙えそうだぞ」

そして急に元の声の大きさに戻り、「がんばれよ！」と言って離れていった。

――お、私、評価されてる！

愛は、小走りに自分の席に戻った。するとメンバーの一人が声をかけてきた。

「開発会社の方々が受付に到着されたそうです」

「はい。すぐ行きます！」

愛は資料を手早くまとめると立ち上がった。

――よし、プロジェクトは成功する！

愛は颯爽と会議室に向かった。

おわりに

最後までお読みいただきありがとうございます。

本書では、美咲と愛、そして陽子の三人の女性たちの会話やワークを通じて、本来の自分らしさを取り戻して自走するための考え方をお伝えしてきました。

いかがでしたでしょうか？

時代が大きく変わろうとするなかで、特に20〜40代の女性はライフイベントによる影響を受けやすく、転機の連続です。

ですが、転機はチャンスでもあります。普段、自分のことを深く考えたり、自分を見つめ直したりすることはあまりないと思うのですが、転機をきっかけに自分について考え、自分らしいキャリアについて考えることができる、絶好の機会と捉えることも可能です。

結婚や出産、あるいは夫の転勤や海外駐在などにより、働き方を見直す必要がある方はもちろん、これから結婚や出産をしたいと考えている方、仕事や働き方を変えたいと考えている方、ライフイベントが一段落しこれからの自分のことを考えたい方、またこれから就職活動を控えた学生の方など、さまざまな状況の方が、ご自身にとっての自分らしいキャリアについて考えることができるように、この本を書きました。

実際にワークに取り組むなど、ご自身で考えていただくことで本書はより効果的なものとなります。また、本書でお伝えしている思考法やワークは、新たな転機に直面したとき、あるいは心にちょっとしたモヤモヤや漠然とした不安を感じたときなど、どんな状況においても活用できるものなので、今後長きにわたり内省のお供にお役立ていただけるとうれしく思います。

なお本書は、女性のライフキャリアへの理解を深めることができるように書いております。女性当事者だけでなく、20〜40代の女性を部下に持つ男性管理職・経営者の方や、ライフイベントの変化をともにするパートナーの方などにもお読みいただけると幸いです。

＊　＊　＊

本文中ではワークを組み込みながら、自分らしいキャリアを手に入れるための思考法をお伝えしてきましたが、それに加えてお伝えしたかったことがあります。

それは、同じ時代を生きる同志として、そろそろ幸せになりませんか？　というメッセージです。お伝えしたいことというか、私からの提案、と表現するほうが正しいかもしれません。

本文中でも、働く女性を取り巻く時代の変化について振り返りましたが、男女雇用機会均等法の施行以降、環境はどんどん変化しています。また、ワーママを取り巻く環境もこの10年で大きく様変わりしました。

先輩女性の方々が働く道を切り拓いてくださったおかげで、また、出産しても働き続けられる道を切り拓いてくださったおかげで、今、私たちはさまざまな選択肢のなかから、働き方や生き方を選ぶことができるようになりつつあると感じています。

もちろん、法律等の変化や時代の変化もありますが、今こうして私たちが自分らしいキャリアについて考えることができるのは、先輩方のおかげなのです。

ですが、今を生きる女性たちがみな幸せかというと、はっきりとYES！と言うことは残念ながらできない。

どの時代においても、一世代上の先輩たちを見て「ああはなりたくない！」と強く思い、そのパワーで新しい流れを切り拓いてきた一面があるように感じています。

私は間もなく40代を迎えますが、実際、私たち世代が20代の頃、プライベートを犠牲にしながら仕事に邁進する30代の先輩を見て、自分は仕事も続けたいけれど結婚も出産も諦めたくない、と思っていた人が多かったように思います（私個人の意見かもしれませんが）。

今、40代前後の私たち世代が、本文中でも述べた〈ワーママ1・0〉～〈ワーママ2・0〉時代を切り拓いたともいえますが、一世代下の女性たちは、私たち世代が仕事と子育ての両立に髪を振り乱しクタクタに疲れ果てている様子を見て、ああはなりたくないと感じているという実態もあります。

一方で、私がかつて20代の頃に見ていた、仕事に邁進していた先輩たちが、その一世代上――男女で仕事内容や待遇に差があり、お茶汲みや事務など女性用の仕事や寿退社をする先輩たちを見て、男性と対等に働く道を切り拓いてきた一面もあります。

それぞれの世代が、上の世代の姿を見て「ああはなりたくない」と思い、行動してきたことの連鎖で、今、私たちには多様な選択肢がある。これらは、歴代の先輩方が私たちに与えてくださったギフトだと感じています。

今も、女性がライフイベントを経ても働き続けやすい環境が十分に整っているとは言い難い一面もありますし、それ以外にも環境面などで不十分な点はあると思います。ですが、産育休を取得し出産を経ても働き続けることができるようになったり、時短勤務を選択することができたり。また、会社によっては在宅勤務制度で会社以外の場所でも仕事ができる場合もありますし、インターネットを活用してフルリモートで働けるような会社もあり、働き方の選択肢は増えています。

「ないもの」にフォーカスするとまだまだ不十分ではありますが、「あるもの」に目を向けると、私たちは意外に多くのものを手に入れており、逆に選択肢が増えたがゆえに迷ってしまっているともいえます。

多様な働き方、生き方の選択肢のなかで、自分が何を選択していくのか。

その判断の軸となるのが、自分にとっての自分らしいキャリアの定義であり、マイコンパスです。本書でお伝えしてきた考え方は、多様な選択肢がある時代において、自分にとっての幸せを定義し、人生をまるごと楽しむための思考法でもあります。

もちろん、環境や制度をもっと良いものにするための行動は必要ではありますが、欠けているものやないものばかりに目を向け、不幸を嘆き続けるのはつらくもあります。損得や世間体を意識した選択ではなく、自分にとっての幸せに近づく選択や、自分らしさを活かす行動を取ることで、幸せを実感できるようになる。そういう人が一人でも増えたら、今よりももっと生きやすい社会になるのではないでしょうか。

私たちは自由な時代に生きています。今の時代をともに生きる同志として、幸せにキャリアを歩む仲間が増えますように。本書にはそんな思いを込めています。

私自身まだまだ発展途上ですし、自分らしいキャリアを歩むべく日々試行錯誤している身なので、こうしたメッセージをお届けするのは正直おこがましくもあります。ですが、私が普段運営するマイコンパス思考を実践するコミュニティ型のオンライン講座では、さまざまな転機に直面しながらキャリアに悩む、日本各地の、また海外に住む女性たちが、この思考法によっていきいきと変化していくということが日常的に起きています。そんな姿を常に最前列で応援させてもらえることに日々幸福感を感じているのですが、幸せにキャリアを歩む輪をさらに広げていくべく、ライフキャリア小説という新しいスタイルでお届けすることにしました。

この思考法によって本来の自分らしさを取り戻し、自分らしいキャリアを自走し始めた女性たちの具体的事例を、ほんの一部ではありますがリアルストーリーとして巻末に掲載していますので、ぜひお楽しみください。

繰り返しになりますが、本書は読むだけでなく、実際にワークに取り組むことで、より効果的なものとなります。ただ、一人で最後まで進めるのはおそらく大変かと思いますので、本書をさらに活用していただくための参加費無料〈読者限定コミュニティ〉をご用意しました。参加方法などの詳細は、本書最終ページをご覧ください。

私にとっては本書が初めての著書であり、思い入れが強すぎるがゆえになかなか形にできずにいましたが、お力添えいただいたみなさまのおかげで無事に刊行することができました。これまで私やＭＹコンパス社に関わってくださった方々、そして本書を手に取り、最後まで読んでくださった読者のみなさまに、心から感謝申し上げます。

２０２０年1月　岩橋ひかり

読者限定コミュニティへの
ご参加はこちらから
▼

〈巻末付録〉

自分らしさを取り戻して自走する女性たち

——18のリアルストーリー

Life Career

「やってみたい!」は「できること」

出産を機に正社員を辞め、3歳と1歳の子どもたちを抱えながらパートで再就職して数カ月たった頃、30歳の私は焦っていました。

20代を費やした一般事務では、タイピングとコピーが速くなっただけ。唯一取得した日商簿記2級の資格で経理の仕事に就けたけれど、時給パートの行く末はたかが知れている。私のキャリアはどうなるの?　もしかして一生ワーキングプア!?

そんなの嫌だけど、でもどうしたらいいのかわからない……。

「このままではいけない!」という一心で、自分のキャリアに向き合いました。そこで気づいたのは、自分がいかに思い込みにとらわれていたかということ。結婚したら家事は妻がやるべき。子どもが産まれたら母親は子どものために尽くすべき。女性は男性の補助業務に就くのが当然。地方には面白い仕事なんてあるわけがない。ここでは書き尽くせないほど、私の脳内は思い込みで覆い尽くされていて、そもそも「自分がどうしたいか」を考えられる状態ではありませんでした。

この思い込みを外すのは難しく、つらかったです。なぜなら、それまでの考え方や価値観を手放すことは、今までの自分をいったん捨てるようなものだから。

でも、少しずつ思い込みを外していくと、「やってみたい!」という気持ちを感じられるようになりました。ひとりで泊まりに出かけたい、もっと責任のある仕事がしたい、などなど。そして、少しだけ勇気を出して「どうやったらできるか?」を考えて行動に移していきました。外泊するために子どもたちの世話を夫に頼んでみたり、上司に「もっとできます」と宣言してみたり。

やってみて初めてわかりましたが、自分が「やってみたいと思うこと」は、たいていが「できること」なんです。私は実際に、子どもたちを夫に預けて泊まりがけで出かけたし、仕事では短期のプロジェクトリーダーを任せてもらえました。

逆に、自分の「やりたい」という気持ちに気づけないと、何もできないこともわかりました。これは大きな学びでした。

私は今、時短正社員として会社の広報業務をすべて任されています。正直なところ、20代のうちに経験しておけばよかったと思うことは山ほどあります。でも、気づいた今が一番若い。クリアすべき課題に向き合って試行錯誤を続ける今、自分のキャリアに焦りはありません。「やってみたい!」は「できること」だから。

（八代宜子　30代）

キャリアと向き合った経験が私を自由にしてくれた

結婚、出産、人生の転機に逆らうように私は仕事を続けてきた。別居婚をして、次に新幹線通勤をして。環境が変わっても自分の仕事を続けることが私のしたいことだと思っていたし、それがいいと思っていた。

でももう逆らうことができない出来事が育休復帰直前に起こった。それが夫の海外転勤。これは「キャリアと向き合いなさい」ってことだと自分を納得させ、仕事を辞めて夫の海外転勤への帯同を決めた。

キャリアと向き合って驚いたのが、「やりたいことがわからない」からのスタートだったこと。バリバリ働いてワーママをしていた自分が突然専業主婦になる。いざ、「自分の好きなことができる」となっても、何をしたいのか、何が好きなのか、自分で自分がわからなかった。役職や組織の看板がなくなった自分は自分のやりたいことさえわからない。今までがんばってきたことは何だったんだろう。

忙しく仕事をするなかで本当の自分の気持ちを隠し続けた代償は、自分の気持ちがわからなくなることだった。そこから立ち上がるにはどんな魔法も薬もなく、ひたすら手順を追って自分の素直な気持ちと向き合うしかなかった。

向き合って気がついたこと。それはやりたいことはどこかにあるものではなく、自分で決めるしかないということ。

やりたいことが正解か間違いかも誰かに決められるのではなく自分で決める。それが自分らしい、自分の理想のキャリアを歩むことと気がつけたことで、気持ちが軽くなり、「私は自由だ」と思えた。

一度キャリアと向き合ったからといってずっと悩み事がなくなるわけではない。でも悩み事があってもどうしたいか、どうしたらいいのか。〈マイコンパス思考〉で自分のキャリアに正しい手順で向き合った経験があるから、悩み方や解決法を私は知っている。そしてチャレンジすることが怖くなくなった。

今は仕事をしていないけれど、ブログの発信で人とつながることができているし、組織に属していなくてもイベントを主宰することもある。ただがむしゃらにがんばって仕事をしていた自分とは違う世界が見えている。

これから先、どうやって、いつ仕事に復帰しようか悩むことがたくさんある。でもキャリアと向き合った経験が私を自由にしてくれている。「駐在妻の期間を、キャリアの飛躍期間にする!」そう今は思ってチャレンジを重ねる日々を過ごしている。違和感を隠してがんばる、そんな自分はもういない。（佐々木真紀子　30代）

できない理由を探すのではなく、できるための方法を考える

待望の二人目を出産したあと、私は“迷子”になっていました。

当時私は、幼稚園児の長男と生後10カ月の長女を抱えた専業主婦。夫の転勤に帯同し、見ず知らずの土地に引っ越してきたばかりでした。

妊娠を機にアナウンサーを辞めたときから「フリーランスとしていつか仕事に復帰したい」という淡い希望は持っていましたが、ただでさえ待機児童が多い地区。正社員でも認可保育園に入るのは難しいのに、これからフリーランスとして活動しようとする私なんかもってのほか――と、きちんと調べもせずに保育園の入園は諦めていました。幼稚園児と0歳児を抱えた状況で、働こうと思うのが無謀なのかな? 子どもが大きくなるまで、もうしばらくおとなしくしておくべき? でも家事と育児だけの毎日で、私の生きがいって何? 気がつけば、涙がこぼれてしまう日々。母でもなく妻でもない「個人としての私」を見失ったような気がして、キャリア迷子に陥っていたのです。

そんなときに出合ったのが、〈マイコンパス思考〉でした。最初に「理想のライフスタイルを思い描いてみましょう」と言われ、衝撃を受けました。だって、子どもがいるのに、働き方やライフスタイルを“選べる”なんて思っていなかったから。子どもが小さいうちは、子ども中心の生活が当たり前。子どもの生活スタイルに合わせた働き方しかできないと思っていた。でも、それはただの思い込みでした。

“理想”を思い描くのは自由。フリーランスだからといって、仕事の依頼をただ待つ必要はない。起業というスタイルで、自分で仕事を創出することもできる。そう気づいた私は、スピーチコンサルタントとして起業する決心ができました。

自分のなかで、働く意義や目的を明確にしたことも大きな推進力に。働くこと自体が目的なのではなく、その先に、つくりたい未来を描く。最初はまったくピンとこなかったのですが、少しずつ理想が現実になるように行動していくうちに、思い描いた未来が実現していく、そんな実感が持てるようになっていったのです。

今では、個人事業主として、最初に思い描いていた以上に充実したワークライフを送ることができています。そして、仕事が充実しているからこそ、家族との貴重な時間を愛おしく感じられるように。自分らしいキャリアは、見つけるものでも、出合うものでもなく、つくり出すもの。「できない理由を探すのではなく、できるための方法を考える」。起業して3年たっても、この考え方が私の行動指針になっています。（古賀静華　40代）

無理だと決めつけずにやってみようと行動に移せるようになった

私は結婚を機に退職し専業主婦となりました。三人の子どもの母となり、下の子の育児も一段落したので社会復帰しようと考えていた矢先、夫が海外赴任をすることに。夫の駐在に帯同すると決めたものの、このままじゃブランクが長くなるし、私の人生は家事と育児で終わってしまうのかなという不安を抱えながら帯同しました。

そんな不安を払拭するために情報収集をしていると、キャリアとは仕事だけでなく、人生そのもの、生き方そのものという意味であることを知り、自分のキャリアを見つめ直すことにしました。

思い込みを取り払う過程では、心の奥底にずっと抱えていたけれど、今まで見て見ぬふりをしていた気持ちを一つずつ書いていきました。ダメなところばかりの自分が浮き彫りになり、本当につらかったです。ときには涙を流しながら書いていました。

すべて書き尽くしたあと、今までの自分の人生を選んできたのは、紛れもなく自分自身であったことを認め、一つずつ思い込みを取り払っていきました。思い込みを取り払っていくことで、「こんな私には何もできない」と思っていたのが、「こんな私でも何かできるかも」と気持ちが前向きに変化し、これからの自分の人生が楽しみだと思えるようになりました。

一番大きな変化としては、無理だと決めつけずにやってみようと行動に移せるようになったことです。

駐在帯同時は、同じように悩んでいる人の力になりたいと思い、悩みを話せる場をつくることなどに挑戦しました。その後、さらにステップアップしたいと思い、母子での本帰国を決断しました。本帰国後はキャリアについて学び、キャリア支援に携わりました。キャリアコンサルタントの国家試験にも合格。キャリア支援をしていくなかで、ブランクがあっても働きたいと思えば働ける社会を実現するには、まずは私自身がブランクがあっても働けることを体現したいという思いが強くなり、就職活動を開始しました。初めは思うようにいかず落ち込むこともありましたが、思い込みを取り払い、なりたい姿を描いていたので、ブレずに就職活動を進めることができました。

現在は12年ぶりに未経験の職種で正社員として働いています。

（吉道真由子　30代）

理想の未来があるからこそ、失敗も楽しめる

希望した大学に入学。大学卒業後は希望した職種に就く。さらにはワーキングホリデーで憧れの海外生活も経験。帰国後は大手企業で正社員となる。

結婚、出産（それも3回!）、同居の義両親とも関係良好で、夫も優しい。やりたいことをしまくる人生で、周りもいい人ばかりで、とっても楽しい毎日でした。

でも実情は、通勤電車のなかでふと将来のことを考え、「子育てをしながら同じ1年をあと25回繰り返して定年。その後はどうなることやら」という事実にゾッとしてしまう→とりあえず見ないふり——の繰り返しの日々でもありました。

ただ、どうやってこの恐怖を取り除いていけばいいのかわからない。勢いでネイリストとしての独立を目論みネイルスクールに通ってみるものの、そんな付け焼き刃の技術では到底うまくいくはずもなく、結局グルグルと同じところを回ってはため息ばかりの数年間でした。

そんな、堂々めぐりで思考がこんがらがっていたときに、〈マイコンパス思考〉に出合いました。

やってみると、日々のタスクをこなすことに精一杯で、自分が何を好きで、嫌いで、どんなときに喜びを感じるかというアンテナがすっかり錆びついていたことに、まず愕然としました。でも段々と慣れてくると、少しずつ理想の未来を描けるようになり、何回かアップデートを重ねて、今では「こんなスタイルで仕事がしたい」「こんな人生を歩みたい」が、目をつぶっても頭の中で明確にイメージできるほどになりました。

今では会社員を辞め、個人で仕事をしています。収入面などは会社員時代より不安定になりましたが、日々、自分が叶えたい未来に続く選択をしている手応えを感じ、ため息をつくこともなくなりました。また、理想の未来があるからこそチャレンジも怖くないし、成功はもちろん、失敗も楽しめる心の余裕ができました。（ちなみに、本書のイラストは私が描きました。ほぼ未経験の分野での大いなるチャレンジになりました！）

これからも、自分の思い描く未来にわくわくしながら、私だけのキャリアをつくっていきます。（片山きりん　40代）

地獄だと思っていたワンオペワーママ生活が今では楽しく過ごせるように

私は第二子出産直後に夫の海外赴任が決まり、自分のキャリアに悩みました。約10年勤務した会社を退職して帯同するか、単身赴任で3 ～ 5年ワンオペ育児・ワーママ生活をがんばるのか。夫婦で話し合った結果、夫が海外単身赴任・私は育休を延長して復帰すると決めました。でも、私のモヤモヤは大きくなるばかり。「私だけで子どもたちを育てていけるかな」「育休延長でブランクも長くなる」「仕事復帰後も両立できるかな」「家族はいつまで離れて生活するんだろう」「新卒一社しか経験がない地方在住アラサーママの私が離転職なんて無理だよね」。そんな不安がありました。

娘が3歳、息子が生後6カ月の頃にいよいよ夫の海外単身赴任がスタート。身近に同じような境遇の人がおらず、やっぱりしんどい！ 残り1年半の育休中に何か挑戦したいけど、夫が不在で一人時間をつくるのは難しく、どうしたらいいかと悶々としながら過ごしていました。

そんなタイミングで〈マイコンパス思考〉に出合った私は、キャリアとしっかり向き合い、自分の考え方や価値観が一変しました。

すべて自分一人でがんばらなきゃいけない、悩みを誰にも相談できない、実家の両親も仕事をしているから負担をかけちゃいけない、育休中で収入が少ないから外注や自分の楽しみにお金を使うのは申し訳ない……。それがどれも私の思い込みだったと気づかされ、「どうやったら自分が心地よく過ごせるのか？ ワンオペ生活をがんばっていけそうか？」を考えて行動してみたのです。

今までどおり一人でがんばるのは、時間もキャパも限界！ 実家や外注を頼っていいし、ママのリフレッシュにお金をかけても大丈夫!! 身近に相談できる人がいないなら、ブログやSNSで仲間を見つけてみよう!!!

そう思えるようになり、一つずつできることを実践していきました。

すると状況は何一つ変わっていないのに、私の不安やモヤモヤが少しずつ晴れ、挑戦してみたかった託児付きインターンシップが地元で初開催され、テレビや新聞に私のインタビューが取り上げられたり、オンラインで同じ境遇の仲間ができたり……驚くような奇跡が起き始めたのです。

地獄だと思っていたワンオペワーママ生活を今では楽しく過ごしています！

（森山めぐみ　30代）

答えは「自分自身」のなかにある

二人目の育休中だった私はいろいろなことにモヤモヤしていました。

「今の会社でずっと働き続けるんだろうか?」

「二人目の子どもが産まれて上の子との関係はこれでいいんだろうか?」

「夫との関係はこのままでいいんだろうか?」

産後、可愛い赤ちゃんとの時間を過ごす愛おしい時間のはずなのに、いろいろなモヤモヤが私を容赦なく襲ってきたのです。

そんななかで、〈マイコンパス思考〉に出合いました。

自分の思いを文字にしたり、自分と向き合うワークを通じて、モヤモヤが晴れ、そして思い込みを取り払うなかで一つの道筋を見いだしました。

それは、今までも自分の頭のなかにあって、言葉になっていなかった「諦めない女性を増やしたい」ということ。

自分のやりたいこと、描きたい未来が明確になり、今、私はその第一弾として育休者向けのコミュニティ「MIRAIS」を立ち上げ、延べ200名が参加するまでになりました。こうして自分でコミュニティを立ち上げ、自分や仲間が成長、変化していく姿を目の当たりにして、心が震えるほど感動したりたくさんの奇跡を見たりして、心から「自分の人生でよかった」と感じています。

世の中には「夢の叶え方」「最短で幸せになる方法」などという謳い文句があふれていますが、混沌としている世界だからこそ答えは外にあるのではなく「自分自身」のなかにあるということ、そしてそれを自分で見つめ、思いを言葉にして行動することの偉大さを教えてもらいました。(栗林真由美　30代)

主体的に次の行動に移せるようになった

私がキャリアと向き合い始めたのは、直前の半年は入籍と妊娠発覚、今後の1年に出産と勤め先の契約満了が控えている、と1年半の間に複数のライフイベントを一気に迎えていた時期でした。

人生の節目の連続に喜びつつ、「何もしなければ出産後に無職になる。私の人生終わった!?」と考えるもう一人の自分がいました。それは「子持ち転職は厳しい」「幼い子どもを抱えた人は仕事をセーブしたほうが、子どものためにも家族のためにもいいのでは」という思いからだったのですが、〈マイコンパス思考〉に出合えて、上記はすべて「母親はこうしたほうがいいに決まってる」「子どもが小さいときは母親がいたほうがいい」という、世の中にある「母親はこうあるべき」などの雑音に影響された、謎の思い込みであると知りました。

それに気づいてからは、「○○すべき」から離れ、自分のやりたいこと・やりたくないこと、得意不得意、自分の憧れ、社会にどう貢献したいか、そんな素直な視点で未来を描けるようになりました。

広告業界に長年勤めていた私は、長時間残業が当たり前の生活をしてきました。広告業界だから残業は我慢するもの、そう思っていましたが、「広告の仕事は好きだけど、残業によって仕事以外の時間が削られていくことが何よりも嫌」「仕事も家族も大事だけど、さらに自分時間があることが大切」「電車に座れれば通勤時間は苦ではない」「世の中の長時間残業前提の風潮を変えたい」といった自分の本当の価値観に気づきました。

その結果、今はその価値観に沿う形で新しい仕事に就いています。

〈マイコンパス思考〉に出合ったからといってキャリアの悩みがまったく出てこなくなるわけではありません。ですが、モヤッとしたとき、それらを棚卸しして自分がどうしたいかを導きだすやり方がわかっているので、短時間で主体的に前向きに次の行動に移せるようになりました。（中村友香　30代）

やらない後悔はあっても、やる後悔はない

私は14年半勤めた会社を退職し、幼児二人を持つ母という身で、未経験の異業種転職をしました。「キャリアコンサルタントとして、家づくりの側面からキャリア支援をしよう」と、突拍子もないことを思いついてしまったのです。

それまでの私は、

□ 異業種への転職は20代まで、遅くとも30代前半まで

□ 幼児を抱えた状態での転職は難しい

□ 土日休みでないと、家族の絆は保たれない

こうした思い込みがあり、「こんな仕事ができたら面白そうだ」と興味を持つ会社があっても、なかなか動けずにいました。というのも、私は転職エージェントでもある人材サービス会社に長年在籍し、どのような人が転職市場で評価されるのか、母として働く人はどのようなキャリアを歩むのかについて、状況を知りすぎてしまっていたからです。

しかも、私はキャリアコンサルタント。「キャリアを導くプロである私が、キャリアに悩むなんて恥ずかしい、言えない」と、自分の心に蓋をするようになりました。家事は手放せるのに、育児は保育園やベビーシッターを利用することに抵抗がないのに、どうしても自分が転職をすることについては、フットワーク軽く動き出すことができずにいました。

しかし、二人目育休明けの不本意な異動による落胆や疲労と重なったこともあり、一度気持ちが動いてしまった心に嘘をつき続ける余裕がなくなり、口を開けば愚痴がこぼれ、涙があふれるように。「このままじゃダメだ」と思った私は、あえて思いの丈をあふれ出させ、ノートに書き綴り、夫にも打ち明けてみました。

すると、夫からは、「会社が好きだと思っていたから言わなかったけど、今後やりたいと思っている仕事のほうが向いてると思うよ」と、拍子抜けするような応援コメントをもらったのです。今まで、一人でできない理由を並べて悩んでいたけれど、打ち明けてみれば、なんと応援されてしまった。ありがたいことなのですが、なぜそこまでできないと思い込んでいたのだろう……。今考えると、挑戦しなくてもいい理由を、自分でつくり出していただけなのかもしれない。自分の腹が括れれば、あとはどのようにして達成するかを考えて行動するだけ。

「やらない後悔はあっても、やる後悔はない」。この言葉を噛みしめながら、今、私は新しい職場で仕事をしています。(岡崎純子　30代)

いくつになっても挑戦できる！

離婚に向けての準備を進めるため、教員の仕事をいったん退職。

ずっと教育関係の仕事をしており、一段落したら仕事を探すつもりでしたが、ほかにも適性があるのではないかと考えていた頃に〈マイコンパス思考〉に出合いました。以前参加した著者主催のランチ会で、たまたま弁護士さんとのご縁がつながったこともあり、偶然の出会いには恵まれているようです。

オンライン講座で出会った仲間は、20代、30代の自分よりも若い人が多く、子どもが小さいのに仕事もばりばりこなしていたり、旦那さんの海外駐在で外国に住んでいたり、教員の世界しか知らない私には華やかに感じる方ばかり。一方で自分は、離婚に向けて活動中ではあるものの、無職で当時40代後半。子育ては一段落し時間はあるけれど、特に得意なこともなく、引け目を感じていました。

しかし、講座が進むなかで、講師であるキャリアコンサルタントの方に相談したり、ほかのメンバーが書き綴る赤裸々なコメントを見たりするうち、一見華やかに見えるなかにも、人それぞれの深刻な悩みがあり、その悩みに大小はないことがわかってきました。また自分が感じていた引け目に対しても、誰かに自分の不出来を指摘されたことは一度もなく、自分の思いを書くことで、自分の思い込みであったことに気づくことができました。

それ以降、「きっとこうではないか」と自分の頭のなかで想像するだけではなく、実際に聞く、確かめる、ということを意識するようになりました。年齢を重ねると、自分の無知が知られることが恥ずかしい思いもあり、聞くことを躊躇していたのですが、実際に聞いてみると、自分の考えが見当はずれだったり、誤解だったり、思い込みだったりすることもよくありました。また、教職での定年を考えると、仕事の期間の折り返し地点を過ぎていますが、それならば、これからは仕事の実力を上げるとか、収入を増やすとかいう視点ではなく、自分の好きなことや心地よさを基準にやっていってもいいのではないかと思えるようになりました。これも、年の離れたさまざまな人の考え方を知ることができたからだと思います。

このように〈マイコンパス思考〉に出合い、自分のことを理解し行動を変えていったところ、念願だった離婚も半年弱で成立。再び教職に戻ることができました。今の私はとても幸せです。自分の年齢を言い訳にせず、挑戦してきてよかったと心から思います。（星あき　50代）

新しい自分に出会っていく感覚

私の大学卒業時は就職氷河期だったこともあり、資格取得を目指して、新卒で就職するという選択をしませんでした。その後、契約社員や派遣社員として働きながら、資格の勉強を続けていましたが結局合格はならず。そのまま派遣社員として出産まで働き続けました。

住んでいた地域が保活激戦区で、出産のため契約終了となった立場では入園は厳しそうだったため、いったん育児に専念し、子どもが大きくなったらまた働こうと決意し、専業主婦になることに決めました。

長男の誕生後、まだ何も話さない赤ちゃんと家に二人きりの生活、地域の知り合いは誰もいない、戻っていける会社もない。今思えば産後うつ気味だったのかもしれませんが、「母親」と「妻」という立場しかない自分の将来に漠然とした不安を抱えながら生活していました。

子どもは最低二人は欲しいと思っていたので、二人目を出産し、その子が幼稚園に入ったらパートでもアルバイトでもいいからもう一度働き出すしかないと思いながら、6年間子ども中心の生活を送っていました。

あるきっかけにより、〈マイコンパス思考〉に出合い、自分自身について深く考える機会を得ました。

6年間、自分の欲求は抑え、子ども最優先の生活を送っていた私には、自分は何が好きで何が嫌いだったのか、自分の理想の生活とは、生き方とは、と、自分の理想だけを考えていく時間はとても楽しく、新しい自分に出会っていく感覚でした。

同時に、第二子の長女が幼稚園に入園し、長男は来年小学校入学、というタイミングで仕事に就き、自分も子どもも新しい生活パターンに慣れておきたい、小学校では学童に申し込みたい、と漠然と考えていましたが、こんなにブランクがある専業主婦にまた働ける機会などあるのだろうかとも思っていました。

ですが、やはり、考えていると無意識に関連したキーワードが飛び込んでくるもので、ネットを見ていても、キャリアコンサルタントや時短転職エージェントなどの記事が目に入ります。ひょんなことから登録していたブログからご縁がつながり、かなり理想に近い条件の仕事に出合うことができました。

それまでは行動が苦手だった私でしたが、〈マイコンパス思考〉で行動することの大切さを実感したことが、この結果につながったのだと感じています。

（直子　40代）

私にしかできないことをやろう！

子どもの頃から建築士になることが夢でした。何の迷いもなく突き進み、夢の建築業界に就職。時間に縛られず好きに仕事をし、資格にも挑戦、さらに趣味で自分を満たし充実した日々を過ごしました。

そんな私でしたが、結婚、出産、子育てとライフステージが変わるごとに、行動も減速、働く時間にも制限がつき、自由がきかない状況に。あの頃は楽しかったなー、と過去の自分を羨むこともありました。

ワーママ復帰1年が過ぎた頃、仕事と子育てのバランスを崩し、退職。自宅で仕事をするスタイルに変えました。いろいろな葛藤のなか、子どもとの時間、家族の今後を優先し、自分で決めたにもかかわらず、どこか環境のせいにして、「今は仕方ない」と何についてもできない理由を並べていました。夫の転勤もあるなかで家族のバランスを崩さないようやってきたつもりでしたが、止まったままの自分。今後どう仕事をしていくかを悩み、40歳を過ぎた今さらながらキャリアに向き合う時間を取りました。

取り組んでみて感じたのは、たくさんの「こうあるべき」という思い込みが自分を苦しめ、行動を制限していたこと。たとえば食事は手作りでなければならない、小さな子どもたちを家に置いて自分だけが楽しむために出かけてはならない、というようなことから、現場に関わっていないし仕事量も少ない私は建築士とは言えない、ということまで。今は、その思い込みを少しずつ取り払い、なりたい自分を設定し直し、本来の自分を取り戻しつつある段階です。

やりがいや充実感は仕事だけに求めるものではなく、すべてでバランスが取れていればいい。仕事でこれをやってやる！という熱い思いがなくてもいい。多くの柔軟な考え方を得ることもできました。また、客観的に建築士としての価値を知れたことも大きいです。現場に関われていない自分を卑下していたけれど、建築士は建築士。自信を持って進め！と背中を押された気分です。

そして、自分が悩み、選び、進んできた道の情報はほかの誰かが欲しい情報である、ということを知り「発信する」という新たな挑戦も始めたところです。

今は、自分のことが好きだった頃の自分に戻る感覚を味わいながら、今後の自分にわくわくしています。（横地貴子　40代）

私たちは一番若い「いま」を生きている

「ワーママ経験もかなり積んできたし、ワンオペ育児も経験したから怖いものなんてない。半年で復帰してやる!」と意気込んで突入した3回目の育休。

新生児の世話と上の子たちの日常のあれやこれやに追われたり、実家の家族と久しぶりに過ごすなかで、どんどんその意気込みがなくなっていきました。

「また4月に、あの育休前の生活に戻るのか……」

「好きだったはずの仕事なのに、なぜかまったく心が躍らない」

いま焦って復帰したらずっと後悔する気がして、復帰時期を先に延ばすことに決め、自分と徹底的に向き合うことにしました。

自分と向き合うなかで、私にしかない素の自分らしさや、覆い隠された本当の気持ちを知りました。

私は何事もコツコツ積み上げることを好み、さらに、「自分の価値観に従い、合理的に考え、受け入れる」と、かなり頭のなかが忙しい人間だそうです。

これは科学的に明らかなことで、「そうか、私はこれでいいんだ」と初めて自分のことが腑に落ちたように感じました。

そして、これまで私がいかに自分自身にダメ出しをしながら、高すぎる目標を掲げて、苦しんでいたかに気づきました。

いままさに私は、子どもの小学校入学を控え、私自身そして夫の仕事のことなど、さまざまなことが絡み合った分かれ道の前に立っています。

自分と向き合う前は、「本当に心躍る道はどれなんだろう」と、すでにある道を選ぶ感覚しか持っていませんでした。ですがいまは、自分の本当の気持ちを丁寧にひもとき、できない理由を考えるのではなく、できるようにするための道を切り拓く、そんな感覚が生まれています。

私たちは一番若い「いま」を生きている。その「いま」をもっと心躍るものにするのは自分自身でしかない。そんな覚悟と希望を持って、これからも自分と向き合っていきたいと思います。(藤井亨子　30代)

自分で勝手に不幸せになっていた私は、自分で勝手に幸せになることができた

私の人生のどん底期は、第一子を産んで復帰した直後に訪れました。

可愛い子どもが生まれ、家事育児に協力的な夫がいて、実家の近くへ引っ越してサポート体制も整い、希望していた部署への配属が叶い……。十分すぎるほど恵まれた環境でした。

それなのに、なぜか本当に苦しかった。憧れていたはずのワーママ生活とは程遠く、毎日とにかく疲れ切っていて、いつも眉間に皺を寄せている。会社にいても家にいても、常にタスクに追われてしんどい。やり切れない申し訳なさともどかしさに、ひとり涙を流すこともありました。

「このままの生活は嫌だけど、どの道を選んでも大変としか思えず、やりたいことがない」

そんな自分に愕然として、本気でキャリアを見つめ直すことに決めました。

〈マイコンパス思考〉に取り組んでみて衝撃的だったのは、頭で考えている理想と、実際に心が感じている理想に大きなギャップがあったこと。本当は求めていないことを一生懸命に大切にしているのだから、いくらがんばっても幸せにならなくて当然だったのです。

たとえば私は、週末に子どもと公園に行くのが苦痛でした。本当はもっと寝て自分自身を元気にしたかったし、家を片付けてスッキリしたかったんです。でも、「復帰したら子どもと一緒に過ごす時間が減る分、週末はベッタリしてたくさん遊びたい」のだと思い込んでいました。世間でよくいわれている「理想のワーママ」は、そうだったから。

小さな一つひとつの行動について、自分の本音の欲求を探り、それを叶えるように行動していく。それを積み重ねていった結果、日々のわくわく感ががらりと変わりました。仕事も周りの人たちも、環境は何一つとして変わっていないのに。自分で勝手に不幸せになっていた私は、自分で勝手に幸せになることができたのです。

現状を楽しむうちに新しい夢を抱くようになり、今では10年勤めた大企業から転職し、個人で小さなビジネスも営むようになりました。かつては想像もしなかった、心が充実感にあふれた毎日を過ごしています。（白鳥舞　30代）

自分に心地いい選択ができるようになった

夫の海外赴任に伴い、13年間働いた会社を辞めて帯同することを決意した私。

自分で決めたこととはいえ「自分は夫のキャリアの犠牲になった」という被害者意識が消えず、仕事をしていない自分を認められず、苦しむ日々……。今後も転勤が続くなかで、どうやってキャリアを描いていけばいいの!?　そんなモヤモヤから抜け出したいと思っていたところ、出合ったのが〈マイコンパス思考〉。

最初は「本当に変われるんだろうか?」と半信半疑でした。ところが思考法を実践していくうちに、自分がこうありたい!　と思っていた姿が、じつは本心ではなくて、ただ社会的に良いといわれていることをそのまま自分の理想だと思い込んでいたことがわかりました。

また、たくさんの思い込みが取り払われたことで「自分がどうありたいのか」が少しずつ明確になり、自分に心地いい選択ができるようになってきました。たとえば「今日の晩御飯は何を食べよう?」と思ったとき、これまでは家族の気持ちを優先していたけど、「自分は何を食べたらうれしい?」と考えられるようになったのです。自分の心の声を聞いてそれに素直に従う、ということを繰り返すことで、自分が本当に望んでいることがわかるようになってきました。

また、キャリアを継続できないことにモヤモヤと不安を抱えていたのは、じつは「女性も社会的に自立してバリバリ働くべき」という社会通念にとらわれていたからであって、本心では家族と一緒にいるのが自分にとって一番幸せだと思っていたことに気づいたり、「自分の人生は自分で決められる」という実感を持つことができました。

このように自分と向き合うことで、状況は何も変わっていないのに、すごく晴れやかで前向きな気持ちになることができました。最初に自分の思い込みを取り払って自分の本当の気持ちにアクセスできたからこそ、今の状況があるんだと思います。

人生はすべて自分次第!

帯同したからこそ得られたものがたくさんある!

そう心から思えて、これからの人生にわくわくできるようになったことが一番うれしい変化でした。（吉川まい　30代）

毎日がスピーディーに動き出した

私自身の変化として一番強く実感しているのは、「行動スピードが上がり、挑戦する機会が増えた」ことです。

たとえば、「○○を習ってみたい」と思えばその場でスクールを探して体験レッスンを申し込む、「最近××が気になる」となれば詳しい人を見つけて即メッセージする。どうしようか迷う時間はもったいない、やってみて違えばやめればいい。

シンプルに考えるようになり、毎日がスピーディーに動き出しました。

おかげで、それまで挑戦できずにいた母子二人での海外旅行を実現できたり、ラジオ出演のお誘いがあればお受けして翌週には収録に臨んだり。チャンスの神様には前髪しかない――迷っていたらいずれの機会も逃していたかもしれません。

乳幼児二人を育てながら転職もしました。ワーママの転職はなかなか難しいともいわれますが、「どうすれば実現できるかを考える」癖がついたおかげで、方々に手を尽くし、より自分らしいキャリアを実現できたと思います。

また、もう一つの変化は「発信を始めた」ことです。

今の時代は発信しないなら存在しないのと同じだと聞いて、ブログを開設し、フェイスブックにも投稿するようになりました。最初は何を書いたらいいのかわかりませんでしたが、だんだん私が経験したり学んだりしたことを体系化して発信すると、ほかの人にも役立つのだと気がつきました。内容は読んだ本の要約から片づけといったことまでさまざまですが、読み手目線でまとめると整理が進み、自分の血肉にもなると感じています。

こうしたことを通じ、自分の成長や世の中への貢献を実感しながら、毎日をさらに一生懸命生きられるようになりました。（吉田佐香枝　40代）

心から楽しめるキャリアをつくっていく

「結婚して出産して、私のこれからのキャリアはどうなるの?」

そんなモヤモヤを抱えていたのは、産後3カ月のときでした。

結婚や出産を経験するなかで、主人の転勤や妊娠に伴う体の変化、思い切り仕事に向き合えない環境など、思いどおりにいかないことばかりで、未来に不安を持つ日々が続いていました。

でもあるきっかけで自分のキャリアと真正面から向き合い、気づいたことがあります。それは、私はたくさんの「こうあるべき」に縛られていたということです。

「一流のビジネスマンはこうあるべき」

「良い妻はこうあるべき」

「良い母はこうあるべき」

「良い嫁はこうあるべき」

自分がどうしたいのか? よりも「あるべき像」に縛られて、それらにそぐわない自分を強く責めていました。他人からどう見られるかを優先し、完璧な自分であろうとしていたのです。

でも、本当に私が大切にしたかったことは、「自分らしく、心から楽しめるキャリアをつくっていくこと」でした。

それに気づいてからは、「自分はどうしたいのか?　どうしたら心から楽しめるのか?」と何度も何度も自分に問いかけました。

「こうあるべき」と思っていることは、誰に言われたわけでもなく、自分で自分に課していたルールです。そのマイルールをひとつずつ解放して、自分が心地よく生きていくためのルールに変更していきました。

そのおかげで、現在は仕事も子育ても副業も楽しみながら、自分らしい、心地いいスタイルで毎日を過ごしています。（難波あゆみ　30代）

欲張りにやりたいことをやるための
準備期間として育休を過ごす

可愛い子どもとの初めての育休なのに、私はずっとモヤモヤしていました。なぜなら、復帰後のことに大きな不安があったから。

私は新卒で外資金融に入りずっと仕事一筋な人間でしたが、妊娠発覚の少し前に日系企業による買収が決定。女性の総合職もほとんどいないと聞いており、これまでのキャリアが途絶える? 育児しながら続けられる? と悶々としていました。在宅で働くことも考えてプログラミングを勉強するも、仕事にできるレベルには至らず、さらに悶々——という状態。

〈マイコンパス思考〉で徹底的に自分と向き合ったことで、キャリアとは仕事だけを指すものではないと気づきました。自分は何が好きか、限りのある人生で何をしていきたいのか。

もともとファッションやアートが好きだった私は、〈マイコンパス思考〉を通して「行動すること」のハードルが下がったこともあり、育休中に子連れで美術館に行くことを心から楽しむようになりました。そして、アンテナが立っているなかで、とある雑誌の「人生100年時代の勉強法」という特集で「通信課程だけで卒業できる芸術大学」を見つけ、えいやっと申し込み。今は現役の芸大生として、育児の合間に動画で勉強を楽しんでいます。

もちろん、芸術の勉強がそのまま復帰後の仕事につながるとは限りません。でも、行動のハードルが下がり、ツイッターで発信もするようになるなかで、今の時代は「時短でもキャリアアップを目指せるママ向けの転職サービス」が世の中に多く出てきていることに気づきました。

自分の人生でやりたいこととして芸術の勉強は続け、仕事は仕事として、復帰後に本腰を入れて転職活動をしてもなんとかなるだろう、と楽観的になれました。

育休は、仕事をバリバリしてきた人にとっては、初めて社会から離れたような感覚でモヤモヤしがちだと思います。でも、自分と向き合い、「キャリア」を目の前の仕事だけでなく「自分の人生そのもの」と捉え、欲張りにやりたいことをやるための準備期間として過ごすと、素敵な育休になると思います。（ゆみ　30代）

デザイン　松田 剛（東京100ミリバールスタジオ）
イラスト　片山きりん
写真　藤岡清高
出版協力　株式会社天才工場 吉田浩
編集協力　株式会社AISAI 早川愛、地蔵重樹

著者紹介

岩橋ひかり（いわはし・ひかり）

キャリアコンサルタント
株式会社MYコンパス代表取締役

お茶の水女子大学生活科学部卒業、同大学院ライフサイエンス専攻修了。株式会社アイワイバンク銀行（現セブン銀行）入社。広告、企画部門を経て、人事部門にて新卒採用やダイバーシティ推進等に従事。第二子出産後、「女性がライフステージの変化に柔軟に、才能を活かしながら幸せに生きていける社会の実現」を目指し、2015年独立。2017年株式会社MYコンパスを設立し、女性に特化した個人向けキャリアコンサルティング事業を開始。特に、出産や結婚などのライフステージの節目でキャリアに悩む女性に向け、「私なんか」から「私にもできる!」という意識変革を導きだす、個性に即したキャリアコンサルティングが得意領域。コミュニティ型オンライン講座「MYコンパス・アカデミー」のプログラム開発、講師育成、運営を行うほか、女性向けキャリア講座やセミナーに講師として多数登壇。延べ2,000名以上の女性にキャリア支援を行っている。本書が初めての著書となる。熊本県生まれ、福岡県久留米市育ち。

最強《さいきょう》のライフキャリア論《ろん》。
――人生《じんせい》まるごと楽《たの》しむための思考法《しこうほう》

2020年3月10日 初版発行

著者　岩橋ひかり
発行者　武部 隆
発行所　株式会社時事通信出版局
発売　株式会社時事通信社
〒104-8178 東京都中央区銀座5-15-8
電話 03(5565)2155　https://bookpub.jiji.com/
印刷・製本　中央精版印刷株式会社

ISBN 978-4-7887-1684-1 C0034 Printed in Japan

マイコンパスを手に入れて、
人生まるごと楽しみたいあなたへ

本書掲載のワークに取り組むためのヒントや、
著者本人からのメッセージ、最新のイベント情報などをお届けする、
「最強のライフキャリア論。」読者コミュニティ

ご参加いただいた方には、
ワークシートのPDFデータをプレゼント!
(参加費は無料です)

読者限定コミュニティへの
ご参加はこちらから
▼

※Facebookのアカウントが
必要となります

読者限定コミュニティへのご参加、お待ちしております!